COLLECTION
L'IMAGINAIRE

D1194975

René Daumal

La Grande Beuverie

*Nouvelle édition établie
par Claudio Rugafiori*

Gallimard

René Daumal est né en 1908 à Boulzicourt (Ardennes). Au lycée de Reims, il se lie avec Roger Gilbert-Lecomte et Roger Vailland, union qui sera à l'origine du mouvement parasurréaliste *Le Grand Jeu*. Il fait des études de lettres au lycée Henri-IV, à Paris, avec Alain pour professeur. Poursuivant les recherches et expériences spirituelles qu'il avait entamées dès le lycée de Reims, il finit par devenir un adepte de Gurdjieff. Il connaît ainsi Luc Dietrich et Lanza del Vasto. Mais, dès 1939, il est atteint de tuberculose et doit lutter à la fois contre la maladie et la pauvreté. Il meurt à Paris le 21 mai 1944.

Daumal a peu publié de son vivant : les poèmes du *Contre-Ciel* en 1936, *La Grande Beuverie* en 1938. Depuis, on a découvert *Poésie noire, poésie blanche*, *Le Mont Analogue*, des essais, des notes et une importante correspondance.

Je nie qu'une pensée claire puisse être indicible. Pourtant l'apparence me contredit ; car, de même qu'il y a une certaine intensité de douleur où le corps n'est plus intéressé, parce que s'il y participait, fût-ce d'un sanglot, il serait, semble-t-il, aussitôt réduit en cendres, de même qu'il y a un sommet où la douleur vole de ses propres ailes, ainsi il y a une certaine intensité de la pensée où les mots n'ont plus part. Les mots conviennent à une certaine précision de la pensée, comme les larmes à un certain degré de la douleur. Le plus vague est innommable, le plus précis est ineffable. Mais ce n'est là, vraiment, qu'une apparence. Si le langage n'exprime avec précision qu'une intensité moyenne de la pensée, c'est parce que la moyenne de l'humanité pense avec ce degré d'intensité ; c'est à cette intensité qu'elle consent, c'est de ce degré de précision qu'elle convient. Si nous n'arrivons pas à nous faire entendre clairement, ce n'est pas notre outil qu'il faut accuser.

Un langage clair suppose trois conditions : un parleur sachant ce qu'il veut dire, un auditeur à l'état de veille, et une langue qui leur soit commune. Mais il ne suffit pas qu'un langage soit clair, comme une proposition algébrique est claire. Il faut encore qu'il ait un contenu réel, et non seulement possible. Pour cela, il faut, comme quatrième élément, entre les interlocuteurs une expérience commune de la chose dont il est parlé. Cette expérience commune est la réserve d'or qui confère une valeur d'échange à cette monnaie que sont les mots ; sans cette réserve d'expériences communes, toutes nos paroles sont des chèques sans provision ; l'algèbre, justement, n'est qu'une vaste opération de crédit intellectuelle, un faux-monnayage légitime parce qu'avoué : chacun sait qu'elle a sa fin et son sens en autre chose qu'elle-même, à savoir en l'arithmétique. Mais ce n'est pas encore assez que le langage ait clarté et contenu, comme si je dis « ce jour-là, il pleuvait » ou « trois et deux font cinq » ; il faut encore qu'il ait un but et une nécessité.

Autrement, de langage on tombe en parlage, de parlage en bavardage, de bavardage en confusion. Dans cette confusion des langues, les hommes, même s'ils ont des expériences communes, n'ont pas de langue pour en échanger les fruits. Puis, quand cette confusion devient intolérable, on invente des langues universelles, claires et vides, où les mots ne sont qu'une fausse monnaie que ne gage plus l'or d'une expérience réelle ; langues grâce auxquelles, depuis l'enfance, nous nous gonflons de faux savoirs. Entre la confusion de Babel et ces stériles espérantos, il n'y a pas à choisir. Ce sont ces deux formes d'incompréhension, mais surtout la seconde, que je vais essayer de décrire.

PREMIÈRE PARTIE

Dialogue laborieux
sur la puissance des mots
et la faiblesse de la pensée

1

Il était tard lorsque nous bûmes. Nous pensions tous qu'il était grand temps de commencer. Ce qu'il y avait eu avant, on ne s'en souvenait plus. On se disait seulement qu'il était déjà tard. Savoir d'où chacun venait, en quel point du globe on était, ou si même c'était vraiment un globe (et en tout cas ce n'était pas un point), et le jour du mois de quelle année, tout cela nous dépassait. On ne soulève pas de telles questions quand on a soif.

Quand on a soif, on guette les occasions de boire et, pour le reste, on fait seulement semblant d'y faire attention. C'est pourquoi c'est si difficile, après, de raconter exactement ce que l'on a vécu. Il est très tentant, lorsqu'on rapporte des événements passés, de mettre de la clarté et de l'ordre là où il n'y avait ni l'une ni l'autre. C'est très tentant et très dangereux. C'est ainsi que l'on devient prématurément philosophe. Je vais donc essayer de raconter ce qui s'est passé, ce qui s'est dit et ce qui s'est pensé, comme c'est venu. Si tout cela vous paraît d'abord chaotique et brumeux, prenez courage : ensuite ce ne sera que trop ordonné et trop clair. Si alors l'ordre et la clarté de mon récit vous paraissaient sans substance, rassurez-vous : je terminerai par des paroles réconfortantes.

2

Nous étions dans une fumée épaisse. La cheminée tirait mal, le feu de bois trop vert se rabrouait, les chandelles dégageaient une sauce suiffeuse dans l'air, et les nuages du tabac se couchaient en bancs bleuâtres à hauteur de visage. Si l'on était dix ou si l'on était mille, on ne savait plus. Ce qui est sûr, c'est qu'on était seuls. A ce propos, la grande voix de derrière les fagots, comme nous l'appelions dans notre langage de soiffards, s'était un peu élevée. Elle sortait effectivement de derrière un tas de fagots, ou de caisses à biscuits, c'était difficile à savoir à cause de la fumée et de la fatigue ; et elle disait :

— Quand il est seul, le microbe (j'allais dire : l'homme) réclame une âme sœur, comme il pleurniche, pour lui tenir compagnie. Si l'âme sœur arrive, ils ne peuvent plus supporter d'être deux, et chacun commence à se frénétiser pour devenir un avec l'objet de ses tiraillements intestins. N'a pas de bon sens : un, veut être deux ; deux, veut être un. Si l'âme sœur n'arrive pas, il se scinde en deux, il se dit : bonjour mon vieux, il se jette dans ses bras, il se recolle de travers et il se prend pour quelque chose, sinon pour quelqu'un. Vous n'avez pourtant qu'une chose en commun, c'est la solitude ; c'est-à-dire tout ou rien, cela dépend de vous.

On trouva que c'était bien dit, mais personne ne se souciait de voir le personnage qui parlait. Il n'était question que de boire. On n'avait encore bu que des tasses d'un tord-boyaux infect qui nous avait donné très soif.

3

A un moment, la mauvaise humeur était à son comble et je crois me souvenir que nous nous sommes concertés à quelques-uns pour aller, avec des outils imprécis, taper sur les costauds qui ronflaient dans les coins. Il s'est passé un temps interminable, après lequel les costauds sont revenus, coltinant des barils sur leurs ecchymoses. Quand les barils ont été vidés, on a pu enfin s'asseoir dessus, ou à côté, mais enfin on était assis, prêts à boire et à écouter, car il avait été question de joutes oratoires ou de quelque divertissement de ce genre. Tout cela reste assez nébuleux dans ma mémoire.

Faute de direction, nous étions emportés au gré des mots, des souvenirs, des manies, des rancunes et des sympathies. Faute d'un but, nous perdions le peu de force de nos pensées à enchaîner un calembour, à dire du mal des amis communs, à fuir les constatations désagréables, à chevaucher des dadas, à enfoncer des portes ouvertes, à faire des grimaces et des grâces.

La chaleur et la tabagie épaisse nous donnaient une soif inétanchable. Il fallait sans arrêt se relayer pour aller battre les costauds, qui maintenant apportaient des bonbonnes, des tonnelets, des jarres, des seaux, tout cela plein de l'espèce de tisane que l'on pense.

Dans un coin, un camarade peintre expliquait à un copain photographe son projet de peindre de belles pommes, de les broyer, de les distiller, « et tu as un calvados épatant, mon vieux », disait-il. Le photographe bougonnait que « ça frisait l'idéalisme », mais cela ne l'empêchait pas de trinquer sec. Le

jeune Amédée Gocourt se plaignait du manque
de boisson parce que, disait-il, les gâteaux au
chocolat dont il s'empiffrait lui avaient
« velouté le tuyau de descente et embourbé
l'estomac ». Marcellin, l'anarchiste, geignait
que « si on nous laissait aussi scandaleuse-
ment crever de soif, on ne voyait vraiment
pas la différence avec la papauté », mais personne ne saisissait le sens de ses paroles.

Quant à moi, j'étais très mal assis sur un
porte-bouteilles, ce qui me donnait une apparence de profonde méditation, alors que j'étais
simplement abruti, le plafond bas, très bas,
la visière de l'intellect baissée jusqu'aux sédi-
ments de l'humeur.

4

Je ne vous présenterai pas les personnages
qui étaient là. Ce n'est ni d'eux, ni de leurs
caractères, ni de leurs actions que je veux
parler. Ils étaient là comme des figurants de
songe qui essayaient, parfois sincèrement, de
se réveiller ; tous de bons camarades, chacun
rêvant les autres. Tout ce que je veux dire
maintenant, c'est qu'on était saouls et qu'on
avait soif. Et nous étions beaucoup à être
seuls.

C'est Gonzague l'Araucanien qui eut la malheureuse idée de réclamer de la musique. Le coup était d'ailleurs prémédité, car tout le monde avait pu remarquer qu'il avait apporté une guitare neuve. Il ne se fit donc pas prier pour commencer. Ce fut horrible. Les sons qu'il tirait de l'instrument étaient si méchamment faux, si obstinément fêlés, que les chaudrons se mettaient à danser sur le ciment, les chandeliers de cuivre à glisser avec des rires atroces sur le stuc des cheminées, les casseroles à balancer leurs ventres contre les murs qui se décrépissaient, et les plâtras nous tombaient dans les yeux, et les araignées dégringolaient du plafond avec des cris, en plein dans la soupe, et cela nous donnait soif, et cela nous mettait dans des rages...

Alors le personnage de derrière les fagots montra le bout d'une oreille, puis de l'autre, puis un nez, puis un menton glabre, puis une barbe, puis une calvitie, puis une grosse chevelure, car il était très changeant ; simples trucs de passe-passe et de maquillage instantané. On disait que sans cette mascarade on ne l'aurait même pas remarqué, car, croyait-on, il avait « une tête comme tout le monde ». Peut-être à ce moment-là avait-il des allures de bûcheron ou d'arbre, une barbiche de bouc et des yeux d'éléphant, mais je n'en jurerais pas. Il dit, calmement, quelque chose comme :

— Granit, grès. Grès, granit. Gris, grenat. Gramme — (une pause) — Aconit !

Avec la dernière syllabe (j'avais déjà assez bu pour trouver cela tout naturel) la guitare vola en éclats entre les mains de Gonzague. Une des cordes lui cingla la lèvre supérieure. Il laissa quelques gouttes de sang tomber sur le dos de sa main. Puis il vida son verre. Puis il nota sur son calepin les rudiments d'un poème extraordinaire qui devait être plagié le lendemain et trahi dans toutes les langues par deux cent douze petits poètes, d'où sortirent autant de mouvements artistiques d'avant-garde, d'où vingt-sept bagarres historiques, trois révolutions politiques dans une ferme mexi-caine, sept guerres sanglantes sur le Paropa-mise, une famine à Gibraltar, un volcan au Gabon (on n'avait jamais vu cela), un dicta-teur à Monaco et une gloire presque durable pour les *minus habentes*.

5

L'Araucanien ayant bu, il y eut un grand silence. Puis une vieille dame cria sèchement :

— Pas de trucs de magie, ici ! Nous vou-lons des explications. Qui a cassé la guitare ? Et comment ? Et pourquoi ?

— Pas de trucs scientifiques, cria **Othello**
de sa voix ferrailleuse, l'écume aux lèvres.
Pas de trucs scientifiques, hein ? Mais des
explications magiques !

— Buvons d'abord, prononça lentement
l'homme de derrière les fagots. Ensuite je vous
endormirai d'un discours plus ou moins
consistant sur les emplois coupants, piquants,
contondants, écrasants, désintégrants et quelques autres, du langage humain et peut-être
de celui des oiseaux, mais buvons d'abord.

A ce moment, d'ailleurs, des espèces de sau-
cissons chauds étaient arrivés, épicés d'arra-
che-gueule divers. C'était une autre raison de
boire, mise à part la peur de penser, et Dudule
le Conspirateur, qui avait vu faire cela au
cinéma, allait de l'un à l'autre, offrant, d'un
flacon plat tiré de sa poche fessière, de cet
horrible alcool de bois aromatisé de citron que
les Américains, sous le régime sec, appelaient
vodka, cognac, gin, ou simplement *drink*, selon
qu'ils voulaient se rendre plus ou moins inté-
ressants.

Par malheur, j'avais laissé un poète (on
l'appelait Solo le brocanteur) s'approcher de
moi et commencer un long discours par lequel
il essayait, bien en vain, de me faire comprendre que la terre était ronde et qu'il y avait
des hommes, « les Antipodes, qui marchent
la tête en bas grâce à l'emploi d'une espèce

d'hélice en bois nommée *boomerang* en hollandais », et je ne sais depuis combien de quarts d'heure il me parlait lorsque, relevant la tête, je vis que tout le monde était attentif au discours de Totochabo — c'est un nom chipéway, c'est-à-dire inintelligible, que l'on donnait à l'homme de derrière les fagots. Je rougis de ma distraction, exsudai un petit nuage de honte et me mis à écouter. Voici à peu près ce que je pus saisir de ses paroles.

6

Totochabo disait :

— ... Le plus crétin des virtuoses, au bout de quelques années d'exercice, arrive à briser une coupe de cristal à distance, par la seule émission de la note exacte correspondant à l'équilibre instable de la matière vitreuse. On cite plusieurs violonistes, pas plus bêtes que d'autres, qui faisaient ça presque naturellement. La maîtresse de maison est toujours très fière d'avoir sacrifié à l'Art, ou à la Science, selon les cas, la plus belle pièce de sa verrerie, un souvenir de famille, qui plus est, elle est tellement ravie qu'elle en oublie de gronder son fils qui vient de rentrer du lycée complètement saoul, le fils persistera dans le vice, échouera à ses examens, sera réduit à faire du commerce, deviendra riche et considéré, et toute cette chaîne d'effets est suspendue à un son musical déterminé, exprimable par un nombre. J'ai oublié de dire que le mot « Art » est le seul que les carpes soient capables de prononcer. Je continue.

« Les physiciens Chladni et Savart, en faisant vibrer des plaques métalliques recouvertes de sable fin, ont produit des figures géométriques par les lignes nodales séparant les zones de mouvement. En employant au lieu de sable de la poudre de tournesol gommée, ces savants — comme on les appelle, non sans raison — ...

— On en a foupé, d'fé vistoires, gicla Johannes Kakur, un érudit gascon, en s'avançant sur Totochabo, le vin rouge lui sortant des yeux ; et il lui mit sous le nez, d'un poing furieux, quelques bouquins lardés de fiches et marginés de crayonnements multicolores.

— Mais non, mon petit bout d'homme, dit le vieux doucereusement.

L'érudit gascon, douché, lâcha ses livres. J'allai les ramasser discrètement. Les noms des auteurs ne me disaient pas grand-chose : Higgins, De La Rive, Faraday, Wheatstone, Rijke, Sondhaus, Kundt, Schaffgotsch. Il y avait aussi un tome de Helmholtz dépareillé, que je mis de côté. Je trouvai enfin un *Dictionnaire de rimes* et une *Encyclopédie des sciences occultes* dans laquelle je me plongeai, non sans boire après chaque article, avec les délices que l'on éprouve toujours à trouver plus sot que soi.

7

— Le son est donc puissant sur le feu, continuait le vieux au moment où je me remettais à écouter. Et sur l'air par la voix, comme vous pouvez en ce moment l'entendre, ou de plusieurs autres manières. Sur l'eau, comme vous savez par les recherches de Plateau, Savart et Maurat, physiciens, et par les études du docteur Faustroll, pataphysicien, sur les veines liquides, spécialement lorsqu'elles s'écoulent verticalement d'un orifice percé en mince paroi. Et sur la terre, j'entends sur l'élément solide que Timée de Locres disait formé de cubes, comme je vous ai dit par l'exemple des plaques vibrantes ; j'y ajouterais celui des murailles de Jéricho, si l'invocation d'une autorité de ce genre n'était aujourd'hui, en notre siècle de lumignons, quelque peu discréditée.

— Oh ! ça va », dis-je. Je voulais ajouter :

« on n'est pas venu ici pour écouter des conférences, on n'est pas venu ici pour se désaltérer de rhétorique... », mais il coupa court :

— Et qui qu'a demandé des explications ?

— C'est pas moi.

— C'est tout comme.

Othello se manifesta :

— Justement, je vous y prends. Vous dites :
puissant sur le feu, l'air, l'eau, la terre. Et le
cinquième, qu'est-ce que vous en dites ?

— Vous voyez, dit à mon adresse Totochabo. J'en ai aussi marre que vous. Nous
allons lui improviser un petit clouage de bec
de fausse érudition.

Il reprit, plus haut :

— Je vous dirai d'aller pêcher les cancres
ailleurs, car nous savons fort bien que sous
l'aspect sensible du son se cache une essence
silencieuse. C'est d'elle, de ce point critique
où le germe du sensible n'a pas encore choisi
d'être son ou lumière ou autre chose, de cet
arrière-plan de la nature où qui voit voit le
son, où qui entend entend les soleils, c'est de
cette essence même que le son tire sa puissance et sa vertu ordonnatrice.

En me jetant un clin d'œil, il chuchota :

— Ça les calfeutre, hein ?

— Epaissement, répondis-je. Mais lorsque
vous dites fausse érudition, voulez-vous signifier vrai savoir ?

— Mon pauvre ami, dit-il, comme vous avez soif !

C'était vrai et je me mis à me soigner.

8

Nous buvions comme des trous. Soudain une grosse fille très instruite et végétarienne se mit en branle :

— Tout ça, c'est très joli, dit-elle en renversant du coude son pernod désalcoolisé (restaient le furfurol et les éthers supérieurs), c'est très joli, je ne doute nullement de vos expériences et les noms des éminents physiciens que vous citez m'inspirent confiance. Mais tout cela pour une mandoline cassée, c'est excessif. D'ailleurs vous avez fait semblant de faire ce dégât avec des paroles et non pas avec des sons musicaux déterminés. Les sons de la voix humaine n'ont pas la précision mathématique de ceux que l'on peut tirer du monocorde...

— Pffssch..., siffla Totochabo. Son sifflement nous fit comme le chatouillement d'une plume sous les narines. J'éternuai. Quinze paires d'yeux me regardèrent sévèrement. Le temps que je me dise : « c'est ça qu'on appelle des yeux en boules de loto, bien que le loto soit désormais un jeu archaïque comme le bésigue, l'oie, la migraine, le suivez-moi-jeune-homme, le nez de Cléopâtre... », le temps que je laisse dégouliner mes guirlandes de mots familiers, tout le monde avait eu le temps de boire trois coups pour dissiper le malaise. Pour moi, c'est le gosier sec que je dus souffrir les explications qui suivirent.

9

Elles étaient assez ardues et, préoccupé de boire, je n'en ai retenu que quelques éléments. Il était question d'abord d'une gamme de voyelles, expliquée je ne sais trop comment à l'aide des mots : *ou, eau, a, œufs, est, haie, y,* que Totochabo avait écrits à la craie sur la hotte de la cheminée et qu'il nous avait priés de lire à haute voix. Ç'avait été un beau vacarme. Les uns s'exerçaient consciencieusement, d'autres faisaient des calembours que d'autres trouvaient bêtes, des gros mots s'échangeaient, des jugements définitifs étaient lancés dans l'air et tout à coup on vit un certain Francis Coq debout, qui se préparait à se fâcher. Il nous défia tous d'un nez

tranchant et humide, tapa sur la table, se
blessa sur un éclat de verre, essaya, avec un
regard en coin, de faire passer son bavement
alcoolique pour un des signes classiques de la
fureur, eut l'air très peu à l'aise et s'écria
d'une voix de fausset, de plusieurs tons plus
élevée que celle dont il voulait appesantir
l'atmosphère : « Eh bien-alors-quoi- » et il se
rassit, mais ses paroles, hérissées de gêne intérieure, imposèrent le silence mieux que n'aurait fait la gravité du discours qu'il avait conçu.

J'allais enfin parler, quand soudain la grosse
fille très instruite m'en vola l'occasion :

— Tout cela est bien futile, l'entendîmes-
nous grogner. Nous ne sommes pas ici pour
parler littérature, acoustique ni sorcellerie.
Nous sommes ici pour ce que vous savez. Je
demande qu'on change de sujet.

— Mais qui a choisi ce sujet ? répliqua le
vieux. Vous m'avez accusé tout à l'heure
d'avoir cassé une mandoline. Je me défends.
Et je vous réponds d'abord que ce n'était pas
une mandoline, mais une guitare.

— N'essayez pas de vous défiler, Monsieur.
Ça ne prend pas.

— Je ne me défile pas, Mademoiselle. Je
réponds à vos questions. J'aimerais autant
parler de jardinage ou d'héraldique ou de
Charles Quint, mais je vous assure que ce

serait exactement le même cafouillage. Personne ici n'est capable de rester éveillé deux secondes de suite. Et quand on dort, on boit mal.

C'était péremptoire.

— Et d'ailleurs, dit Marcellin qui n'avait rien compris, vous n'avez même pas parlé des consonnes, ni du rythme des syllabes, ni des images, ni même de l'inconscient.

— Vous voyez, dit Totochabo avec un soupir. Il reprit :

— Pour ce qui est de l'inconscient, je n'en parle peut-être pas, mais je lui parle. Que l'inconscient donc me réponde, s'il peut le faire sans en mourir.

N'ayant pas de réponse, il continua :

— Bon, j'irai donc jusqu'au bout de mes explications. D'ailleurs, tous les chemins conduisent à l'homme. Ecoutez ou n'écoutez pas, mais en aucun cas n'oubliez de boire.

10

On venait justement de mettre en perce la grosse futaille. Je restai prudemment à proximité du robinet. Je m'enfonçai dans des idées noires. Je me disais :

« Même pas moyen d'être saoul. Pourquoi boire donne-t-il si soif ? Comment sortir de ce cercle ? Comment serait-ce si je me réveillais ? Mais quoi ? J'ai les yeux bien ouverts, je ne vois que la saleté, la tabagie, et ces faces d'abrutis qui me ressemblent comme des frères. De quoi je rêve ? Est-ce un souvenir, est-ce un espoir, cette lumière, cette évidence, est-ce passé ? est-ce à venir ? Je la tenais à l'instant, je l'ai laissée filer. De quoi je parle ? De quoi je crève... » et ainsi de suite, comme lorsque l'on a déjà pas mal bu.

J'essayai de me remettre à écouter. C'était très difficile. J'étais en rage, en dedans, sans trop savoir pourquoi. Je sentais que « ce n'était pas la question », qu' « il y avait quelque chose de bien plus urgent à faire », que « le vieux nous cassait la tête », mais c'était comme lorsqu'on rêve et que tout à coup on pense « ce n'est pas cela la réalité », mais on ne trouve pas tout de suite le geste à faire, qui est d'ouvrir les yeux. Après, c'est tout clair et simple. Ici, on ne voyait pas ce qu'il fallait faire. En attendant, il fallait supporter, et continuer à entendre le vieux, avec sa manie irritante de déformer les mots, qui disait :

— Mais les usages rhétoriques, techniques, philosophiques, algébriques, logistiques, journaliques, romaniques, artistiques et esthétchoum du langage ont fait oublier à l'humanité le véritable mode d'emploi de la parole.

Cela devenait intéressant. Malheureusement, la grosse fille érudite fit dévier la conversation en jetant mal à propos :

— Vous n'avez parlé que des corps inanimés. Et les corps animés, alors ?

— Oh ! ceux-là, vous savez aussi bien que moi comme ils sont sensibles au langage articulé. Par exemple, un monsieur passe dans la rue, tout occupé de ses chatouillements internes (ses pensées, comme il dit). Vous criez : « Hep ! ». Aussitôt toute cette machine compliquée, avec sa mécanique de muscles et d'os, son irrigation sanguine, sa thermo-régulation, ses machins gyroscopiques...

— Fes quoi ? beugla Johannes Kakur, au pourpre de l'exaspération.

— Les trucs derrière les oreilles, crétin. (On fit semblant de comprendre, pour ne pas interrompre). — Toute cette machinerie donc fait une demi-torsion, la mâchoire tombe, les yeux gonflent, les jambes oscillent, et ça vous regarde comme un veau, ou une vipère, ou une visière, ou un seau, ou un rat, ça dépend. Et les chatouillements internes (comment les appelez-vous ?) sont suspendus un moment et peut-être leur cours en sera-t-il à jamais changé. Vous savez aussi que le mot « hep ! », pour avoir cet effet, doit être prononcé avec une certaine intonation. En général, on parle comme on tirerait des coups de fusil au petit bonheur, entende qui peut. Il y a une autre façon de parler. C'est d'avoir une cible bien définie d'abord. Puis de bien viser. Et alors, feu ! Entende qui peut. Mais recevra la balle qui je veux, si j'ai bien visé. Encore mieux quand les paroles commencent à évoquer des images, c'est-à-dire à sculpter la gadoue psycho-physique du sac bipède avec mouvements divers parmi les esprits animaux, mais je ne peux pas tout vous expliquer à la fois. D'ailleurs vous n'avez qu'à réfléchir un peu. Par exemple, dans cette dernière phrase, sur les mots « ne... que », tout dévocalisés qu'ils soient par élision.

Je me dis : « Ayayaille ! ma tête éclate, n'en jetez plus », et je retournai à la futaille.

11

Mais comme j'avais laissé mon troupeau d'idées noires auprès de la futaille, je les y retrouvai. Elles me sautèrent au cou avec des cris de joie, m'appelèrent « petit oncle », et me crièrent toutes sortes de paroles de tendresse, comme : « enfin te voilà revenu, ah ! ce qu'on est heureuses de te revoir ! » Elles se

pendaient à mes cheveux, à mes oreilles, à
mes doigts, m'enlevaient mes lunettes, ren-
versaient mon verre, salissaient mon pantalon, mettaient des mies de pain dans mes
chaussettes. J'étais bien empêtré. Pour les cal-
mer, je me mis à leur chanter cette chanson
que j'avais composée autrefois dans des cir-
constances analogues :

> *Y'a des moments où tu n'sais plus,*
> *Tu n'sais plus rien, plus rien du tout.*
> *Le lendemain tu t'aperçois*
> *Qu'à ç'moment-là tu savais tout.*
> > *Mais tu n'sais plus,*
> > *Plus rien du tout,*
> > *Tout est foutu !*

Peu à peu elles s'endormirent et quand elles
furent toutes endormies, je les pris une à une,
leur attachai à chacune une pierre au cou et,
les tenant par les pattes de derrière, je les
introduisis par la bonde de la grande futaille.
Le triste petit floc ! floc ! que leur chute faisait me fit fondre en larmes. Mais j'étais sou-
lagé, pour un moment.

12

Je dressai bientôt l'oreille, car la voix de Totochabo s'était faite tragique.

— Maintenant, disait-il, je vous dois un aveu. Je vous ai cité comme références des noms de savants estimés. C'était seulement pour vous inspirer confiance. Vous n'auriez pas osé vous intéresser à des questions non reçues dans les sociétés savantes. Maintenant que vous avez mordu à l'hameçon, je laisserai ces Messieurs avec leurs théories.

« J'ai quelques autres idées. Par exemple sur la viscosité du son. Les sons s'étalent sur les surfaces, glissent sur les parquets, coulent dans les gouttières, se tassent dans les coins, se brisent sur les arêtes, pleuvent sur les muqueuses, fourmillent sur les plexus, flambent sur les poils et papillonnent sur les peaux comme l'air chaud sur les prairies en été. Il y a des batailles aériennes d'ondes qui se replient sur elles-mêmes, prennent des mouvements rotatoires et tourbillonnent entre ciel et terre comme le regret indestructible du suicidé qui à mi-chemin de sa chute du sixième étage, soudain ne voudrait plus mourir. Il y a des paroles qui n'arrivent pas à destination et qui se forment en boules errantes, gonflées de danger, comme la foudre parfois quand elle n'a pas trouvé sa cible. Il y a des paroles qui gèlent...

Johannes Kakur éclata encore une fois :

— On la connaît, fette hiftoire. On a lu auffi *Pantagruel*, vieux foulard !

L'autre répondit :

— Si vous saviez comme j'aimerais me taire, vous n'auriez pas si soif.

C'était encore une de ces phrases à nous laisser tous perplexes pendant une heure, au cours de laquelle, à force de vins grecs et autres, nous l'oubliâmes.

13

Dans mon demi-sommeil qui suivit, à travers les toiles d'araignées rouges d'un cauchemar, je vis une salle vide et propre, brillamment éclairée, qui était contiguë à la nôtre et que je n'avais pas remarquée auparavant. Par une large porte ouverte j'aperçus Totochabo, déguisé en autruche comme un chasseur boschiman, qui s'était réservé cette pièce — quelque chose comme la salle d'armes, sans armes, d'un château féodal — pour y recevoir des visiteurs de marque.

Trois hommes étaient avec lui, marchant
et conversant. Je reconnus François Rabelais
du premier coup d'œil, bien qu'il se fût déguisé d'un habit de nonne, avec une cornette
ample et planante semblable à la mante
marine, cette raie sinistre, sauf que la couleur sombre en était produite sur l'amidon
par l'innombrable moucheture d'inscriptions
hébraïques. Au lieu du trousseau de clés et du
rosaire pendait, dans les plis bleus de la
toile, un très vulgaire coupe-choux. Le second
personnage, au ventre ovale et mince de long
poisson, ceint du blanc costume de l'escri-
meur, l'œil de guêpe, la moustache de miel
héroïque aux pointes peintes en vert, le fleu-
ret démoucheté, c'était Alfred Jarry. Je l'entendis expliquer que « si les bas de ses pantalons n'étaient pas agrafés de pattes de lan-
gouste, c'est qu'il portait culottes et bas
blancs » et c'est d'ailleurs tout ce que j'ai pu
saisir des propos des quatre hommes. Le troisième était Léon-Paul Fargue, en costume
d'amiral, qu'il avait orné de nombreux galons
supplémentaires ; il portait le bicorne en travers et avait remplacé l'épée par un sabre
d'abordage. Il avait, tantôt au menton, tantôt
à la main, une barbe arménienne postiche et,
selon les moments, les courbures et les nœuds
de la conversation, son visage passait du glabre au velu et du poilu au rasé comme par les

phases étonnantes d'un astre humain errant.

C'est dommage que j'aie entendu si peu de ce qu'ils se dirent. Personne d'autre ne remarqua les trois visiteurs, ni même la salle où ils devisaient. Quand j'en ai parlé aux autres, ils m'ont ri au nez.

14

Je perdis bientôt de vue ce spectacle car le petit Sidonius, depuis quelques minutes, me tirait les oreilles pour me forcer à écouter une bien étrange histoire.

— J'élevais un Cafre, à Cracovie, dans le pigeonnier. Un jour...

Je l'interrompis pour lui proposer de boire d'abord, afin de ne pas courir le risque, pour lui de se pelotonner la langue, pour moi de me faire marteler les tambourins sans résultat intellectuel. Il acquiesça du geste, qui fut l'enlèvement d'un petit fût de Tokay à bout de bras, alternativement au-dessus de nos têtes, le jet direct de la bonde ouverte arrosant l'estomac selon la méthode dite « à la régalade ». Il reprit son récit en termes plus clairs :

— Le Cafre qui soignait le jardin et la

basse-cour, à Cracovie, couchait dans le
pigeonnier. Il disait que c'était « très sain
pour les souffles ». Une nuit, je fais un rêve
terrifiant. Un énorme tire-bouchon, c'était le
monde, tournait en se vissant sur place dans
sa propre spirale, comme l'enseigne des coif-
feurs américains, et je me voyais, pas plus
grand qu'un pou mais moins adhérent, glisser et culbuter sur l'hélice et me tourbillonner
la pensée sur des escaliers roulants de formes
a priori. Tout à coup, c'était fatal, le grand
craquement, ma nuque éclate, je tombe sur le
nez, j'émerge dans un éclaboussement d'étin-
celles devant le Cafre, venu pour m'éveiller.
Il me dit : « Tu as eu la grande catacouiche,
hein ? Alors, viens voir. » Il me mène au
pigeonnier, me fait regarder par un trou de la
paroi. Je mets un œil. Je vois un spectacle
terrifiant : un énorme tire-bouchon, c'était le
monde, tournait en se vissant sur place dans
sa propre spirale, comme l'enseigne des coif-
feurs américains, et je me voyais, pas plus
grand qu'un pou mais moins adhérent...

Les yeux exorbités, les bosses du front allu-
mées, la moustache hérissée, le petit Sidonius
reprenait le même récit, qui s'enchaînait sans
fin sur lui-même comme les rengaines célè-
bres que l'on connaît. Il parlait fébrilement,
hachant ses mots. J'écoutai, pétrifié d'horreur,

au moins dix fois la rotation du récit effa-
rant. Puis j'allai boire.

15

C'est difficile de mettre ensemble ses souvenirs nocturnes. On confond les événements
extérieurs avec les radotages intérieurs. Je
chassais de toutes mes forces l'image d'une
campagne ensoleillée, d'un chant d'oiseau,
d'une promenade en forêt, j'envoyais tout ça
à tous les anges, et pourquoi, dites-vous, est-
ce que j'envoyais tout ça à tous les anges ?
Pourquoi ? Parce que je voulais voir tous les
diables en face, Monsieur, disais-je, et je lui
disais, à ce Monsieur qui n'y pouvait rien, je
lui disais :

— Ça n'est pas tout d'avoir noyé ses idées
noires, après cela il y a les idées bleues, et les
idées rouges, et les idées jaunes...

— C'est pas des idées, disait le Monsieur
d'une voix pâteuse, c'est pas des idées, c'est
des petites bêtes.

J'étais confondu. Alors on m'installait sur
une barrique et je devais improviser des lita-
nies bachiques. Un chœur immense de per-

sonnages falots reprenait le refrain. Je commençais :

> *C'est la soif...*
> (Le chœur : *qui peut qui peut qui pourrait*)
> *... de l'estomac*
> (Le chœur : *qui pue qui pue qui pourrit*)
> *C'est la soif...*
> (Le chœur : *qui peut qui peut qui pourrait*)
> *... de la poitrine*
> (Le chœur : *qui pue qui pue qui pourrit*)
> *C'est la soif...*
> (Le chœur : *qui peut qui peut qui pourrait*)
> *... de la cervelle*
> (Le chœur : *qui pue qui pue qui pourrit*)

Vous voyez, ce n'était pas malin. Après
venait « c'est la faim de la bouche », puis « du
nez » et « de l'œil », toujours selon le même
système, de plus en plus vite, et quelques-uns
se mirent à danser là-dessus une danse infer-
nale comme seuls peuvent en danser dans une
mare des têtards révoltés qui soudain ne veulent plus devenir grenouilles.

(Ils voudraient devenir des crapauds, ils
prétendent que c'est plus lyrique. Ils ne seront
ni grenouilles ni crapauds, ils seront de la
puanteur qui peut qui peut qui pourrait, ils

seront de la nourriture qui pue qui pue qui pourrit pour d'autres.)

Je dirigeais cette sarabande, je me croyais au moins un pape, quand tout à coup j'ai peur : est-ce que je ne deviens pas fou ? Pour me mettre à l'épreuve, je me refis mentalement la théorie de la machine à vapeur. Voilà où j'en étais réduit. Tout à coup je me criai : « idiot ! » — mais là, alors, pour du bon. Ça y était. Ça pourrait encore durer quelque temps, mais désormais la grande beuverie portait le germe d'une maladie mortelle.

16

Je n'étais pas seul à flairer que les choses tourneraient mal. Pendant que Totochabo continuait de parler, intarissable, ayant réponse à tout, devant un auditoire qui ne diminuait pas sensiblement, quelques groupes se formaient dans des coins sombres et complotaient. Le groupe le plus agité, au début, se pressait autour du Père Pictorius, qui était moine au moins d'habit et qui prophétisait à voix basse les temps de malheur. Il avait déjà fait ses bagages. Tout était prêt, ficelé, étiqueté. Il n'emporterait que le strict nécessaire : la machine à écrire, le tonneau d'encre, les dix malles de livres de chevet (les **autres,** il les savait par cœur), les cages à poules, le clapier portatif, le meilleur fauteuil, le piano, sans compter les victuailles et, bien entendu, la boisson.

Il disait :

— Frères, vous pullulez, vous vous entroupez, vous vous encroûtez. Bientôt les caves seront à sec et que deviendrons-nous ? Les uns crèveront lamentablement, les autres se mettront à boire d'infâmes potions chimiques. On verra des hommes s'entre-tuer pour une goutte de teinture d'iode. On verra des femmes se prostituer pour une bouteille d'eau de Javel. On verra des mères distiller leurs enfants pour en extraire des liqueurs innommables. Cela durera sept années. Pendant les sept années suivantes, on boira du sang. D'abord le sang des cadavres, pendant un an. Puis le sang des malades, pendant deux ans. Puis chacun boira son propre sang, pendant quatre ans. Pendant les sept années suivantes, on ne boira que des larmes et les enfants inventeront des machines à faire pleurer leurs parents pour se désaltérer. Alors il n'y aura plus rien à boire et chacun criera à son dieu : « rends-moi mes vignes ! » et chaque dieu répondra : « rends-moi mon soleil ! », mais il n'y aura plus de soleils, ni de vignes, et plus moyen de s'entendre.

« Des soleils et des vignes, il y en a encore. Mais sans soif, on ne fait plus de vin. Plus de vin, on ne cultive plus les vignes. Plus de vignes, les soleils s'en vont : ils ont autre chose à faire que de chauffer des terres sans buveurs, ils se diront : allons maintenant vivre pour nous. Cela, le voulez-vous ?

— Non ! gronda l'auditoire.

— Avez-vous soif ?

— Oui ! confessa l'auditoire.

— Eh bien, allons aux vignes ! Mais pour cela, il faut partir comme moi, en délaissant tous les biens de ce monde, en n'emportant que le strict nécessaire. Qui a soif me suive !

Il y eut un grand brouhaha, chacun s'affairant à l'empaquetage du strict nécessaire.

Partirent d'abord — mais par où s'en allaient-ils ? je ne devais le comprendre qu'un peu plus tard — ceux qui n'emportaient que leur brosse à dents. Puis ceux qui emportaient aussi leur montre. Puis ceux qui avaient une petite valise. Pour les autres, je ne pus constater leur disparition que longtemps après, à cause des événements que je vais bientôt raconter.

Quant au Père Pictorius, il resta parmi nous pour achever sa mission prophétique.

17

Il n'était pas le seul à faire de l'agitation.
Dans un autre coin, Amédée Gocourt était
monté sur des tréteaux et discourait dans son
style coutumier :

— Citoyens, je vous demande pardon. Mais
l'heure est dramatique comme la marée humaine. C'est l'heure où le regard du poète,
aiguisé par les données les plus récentes de
la psychanalyse, s'incurve vers les abîmes car-
dinaux de son malheur. Que ramène-t-il de la
pêche en âme trouble, des limons sanglants
d'une foule unie par les tournants fulgurants
de l'histoire et que la ville n'a pas vomie ?
C'est le poisson nocturne du désastre, signe
d'une captivité particulière dans l'actuelle
conjonction de nos hasards, conjonction brû-
lante comme le feu où furent forgées les chaî-
nes que bientôt viendra briser l'épanchement
cataclysmique de la grande Révolution Oniri-
que. Je suis désolé, camarades, excusez-moi,
car non, tout de même, est-ce que vous ne
trouvez pas cela intolérable ?

Là-dessus le groupe se mettait à murmurer,
des scissions se faisaient, les uns restaient à
bourdonner sur place, les autres essaimaient

autour d'autres prophètes. Quelques-uns s'enfermèrent dans un placard avec une queue-de-rat allumée, des canettes de bière et beaucoup de papier et commencèrent à rédiger un gros traité en dix volumes des *Erreurs qui restent à commettre dans l'interprétation de ce que n'est pas la dialectique matérialiste*. De temps en temps, l'un d'eux sortait du placard et lisait d'une voix acerbe le dernier chapitre élaboré. Puis il rentrait et tous se mettaient de nouveau à rédiger ; non sans se manger le nez parfois, comme on pouvait voir par le trou de la serrure. Mais quand je mis l'œil au trou de la serrure pour la cinquième ou sixième fois, qu'est-ce que je vois ? Plus personne, le placard vide.

Depuis ce moment, le nombre des disparitions mystérieuses commença à devenir inquiétant.

18

Comme je faisais mon chemin vers là où il y avait le plus à boire, je fus bousculé par des mécontents qui n'avaient pas encore trouvé leur caserne, leur église, leur caverne, leur placard ou leur vignoble ensoleillé. Je me mêlai à eux pour quelque temps. Georges Arrachement circulait de l'un à l'autre d'un air harassé, mais une lueur malicieuse aux plis des lèvres et des yeux. D'une voix rapide il déclarait « que c'était toujours la même chose, qu'ici ou ailleurs on serait toujours les victimes du collectif, et que Dieu devait une belle chandelle à l'humanité ».

Un peu plus loin, je fus rejoint par Solo le brocanteur qui me prit par le bras et me dit :

— Tu as raison de quitter ces bavards. Il y a une chose qu'ils ne savent pas. C'est que, même si l'on trouve la porte, il n'y a pas moyen de l'ouvrir si l'on n'a pas la clef. Et même si l'on a une clef, elle n'ouvre qu'une serrure et l'on se casse le nez sur la porte suivante. Ils ont oublié la main de gloire, la clef magique qui ouvre toutes les portes. Et nous, nous savons, hein, ce qu'il en coûte pour se procurer la main de gloire.

— Oui nous savons ce qu'il en coûte et nous ne l'avons pas encore payé, répondis-je machinalement, tout en songeant : « il a raison et pourtant il n'a pas raison. Comment est-ce possible ? » Puis pour la deuxième fois je me dis : « Idiot ! » Je commentai : « il faut penser à l'instant présent. »

— Tais-toi d'abord ! me cria Totochabo contre qui je venais de buter étourdiment.

Il me semblait bien que je n'avais rien dit.
Mais cela venait si à propos que je ne savais
plus comment me supporter. Mes mains ne
savaient où se fourrer, elles tiraient sur mes
bras, qui tiraient sur mes épaules, qui tiraient
sur les muscles du cou, qui tiraient sur la
mâchoire inférieure qui tombait dans l'expression de la déconfiture. Je sentais tout à coup
que mes pieds reposaient sur la tranche, les
orteils crispés en dedans, comme ceux des gib-
bons. J'étais désarçonné de mon corps et,
aplati dans la poussière, je regardais d'en bas
ma pauvre monture qui ne savait comment
se tenir. Le vieux rigolait. Je l'aurais bien
giflé. Mais c'est moi qui aurais reçu mes propres gifles.

19

Il me laissa dans cet état pendant une
minute. Enfin il alla chercher une couverture
dans un coin, l'étendit à terre et me dit :

— Tu as trop bu. Couche-toi là-dessus,
repose ta carcasse et réfléchis.

Je me sentais inondé de paix. Maintenant
je pouvais penser librement. Or, je m'endor-
mis.

Je me réveillai très vexé, d'abord parce que

Marcellin me disait qu' « avec mes ronfle-
ments j'empêchais tout le monde de rêver » et
aussi parce que j'avais le souvenir confus
d'avoir encore une fois manqué une occasion
de penser. Mais de cela je me consolais vite
en me disant que la prochaine fois je m'enfon-
cerais une épingle dans la cuisse, ou quelque
chose comme ça, pour ne pas oublier.

J'étais surtout vexé parce que je ne ronfle
jamais, sauf si je suis très fatigué (peut-être
était-ce aussi la boisson) et pour une fois que
je ronflais voici Marcellin qui vient le faire
remarquer à tout le monde. Et puis il disait
que j'empêchais les autres de rêver. Il a dit
rêver et non dormir. Toujours sa sacrée poésie de demi-sommeil.

— S'il pouvait dire vrai ! dit Totochabo.

Marcellin et moi le regardâmes. Il reprit :

— Oui, si seulement vous pouviez vous
empêcher de rêver pour un moment, peut-être
qu'alors on pourrait parler. Mais parler de
quoi ?

Et avec un haussement d'échine il fit mine
de s'en aller. Marcellin le retint par le pan
de son veston et demanda :

— Ecoutez. Je sais bien que je ne sais pas
penser. Je suis poète. Mais je ne sais pas penser. On ne m'a jamais appris. On me taquine
toujours là-dessus. Quand j'entends mes amis
tenir des discussions philosophiques, je vou-

drais bien m'y mettre aussi, mais ça va trop vite pour moi. Ils me disent de lire Platon, les Oupanichad, Kierkegaard, Spinoza, Hegel, Benjamin Fondane, le Tao, Karl Marx et même la Bible. J'ai bien essayé de lire tout cela, sauf la Bible, parce que là, je crois bien qu'ils se fichent de moi. C'est très clair le temps que je lis, mais après j'oublie, ou bien je ne sais pas en parler, ou bien je trouve des idées contradictoires entre lesquelles je ne sais pas choisir, enfin ça ne fonctionne pas.

— Mon cher Marcellin, dis-je, il faut d'abord...

— Tais-toi, je te dis ! cria le vieux encore une fois, et le sourire de supériorité qui s'épanouissait sur mes lèvres me tomba dans l'estomac. « Continue ! » dit-il à Marcellin qui conclut :

— Eh bien, je veux qu'une fois pour toutes vous me disiez si je suis un imbécile et, sinon, comment il faut faire pour penser.

— Penser à quoi ? dit Totochabo d'un air las, et il s'éloigna.

Cette fois, nous étions trop consternés pour le retenir. Mais surtout nous avions soif et nous ne mîmes pas longtemps pour découvrir une petite bonbonne qui était bien de circonstance. Tout en buvant, allongés à la romaine, nous nous récitâmes des poèmes filandreux. Avant de fermer l'œil, j'eus un vague sursaut de conscience, comme on recule parfois, comme on se hausse sur la pointe de ses soucis pour mieux sauter dans le sommeil et je dis à Marcellin que j'étais beaucoup plus idiot qu'il ne croyait, mais sensiblement moins que je ne prétendais, ce qui était à peu près juste.

DEUXIÈME PARTIE

Les paradis artificiels

1

Après ce jugement que je portais pour la troisième fois sur moi-même, j'étais vraiment décollé. Je dormis un peu, puis je me retrouvai tout seul au milieu d'une foule de plus en plus nerveuse. Je n'adhérais plus très bien à rien, sauf à la soif. Tout en buvant de fort mauvais rhum, sans me douter du voyage que j'allais faire une minute plus tard, je tâchais de me souvenir que j'étais venu pour écouter un discours sur le quoi, sur quoi donc, sur la puissance des, comment disait-il, j'avais le mot sur le bout de la langue, je prête l'oreille à tout hasard, j'en oublie d'ouvrir l'œil et malheur ! je n'avais même pas eu le temps de ressaisir le fil que quatre-vingt-dix kilos me tombent sur l'estomac, me culbutent, me demandent pardon, demandent pardon au pavé, à ma bouteille, s'excusent auprès d'un tabouret, se relèvent avec la prestesse d'un poussah à cul de plomb et, c'était Amédée Gocourt, il me dit :

— Excuse-moi, mon vieux, je cherche la sortie.

C'était justement la chose à ne pas dire. Trois costauds jaillissent des ombres, attrapent Gocourt au collet :

— La quoi ? Tu cherches la quoi ?

— La sortie, je vous dis.

— Cet endroit, Monsieur, n'a que trois portes de sortie, dit un des costauds. La folie et la mort.

Je compte sur mes doigts, je me trouve très intelligent et je demande :

— Et la troisième ?

Alors ils se jettent sur moi, me mettent leurs grosses pattes sur la bouche, m'empoignent comme un brancard mou, grimpent un sale petit escalier raide, dans cette position les fesses et la tête tour à tour cognent contre les marches, on arrive en haut tout déséquilibré, c'est une soupente, avec une porte basse et l'écriteau :

> **INFIRMERIE**

— Allez jeter un coup d'œil là-dedans, dit le plus gros.

J'entre et pendant que les costauds m'observaient par le trou de la serrure et quelques autres ouvertures percées exprès dans la porte, car c'était une des rares distractions

qu'on leur permît, et les cloisons tremblaient
de leurs rires mal contenus, je passe entre
deux rangs de lits de fer où étaient couchés
les malades, les blessés, les détraqués, les des-
soulés, enfin tous ceux qui avaient insisté pour
sortir.

2

Un grand infirmier sale arriva, me fit un
sourire édenté et m'expliqua :

— Ici c'est la section des accidentés. Comme
leur nom l'indique, ils ont été amenés par des
causes fortuites à vouloir sortir ou à penser
qu'on pouvait sortir d'ici. Vous voyez les résultats.

En effet, l'un avait le crâne bandé, l'autre
un bras emmailloté de pansements, un autre
avait une jambe dans une gouttière, un autre
un bandeau noir sur l'œil, un autre de la
glace sur l'estomac, et les uns dormaient,
d'autres s'agitaient dans la sueur des cauche-
mars, ou déliraient, ou geignaient, ou gar-
daient un silence farouche.

— Et que leur fait-on ? demandai-je.

— Nous les soignons de notre mieux, et
quand ils sont en état, on les renvoie en bas.

— Mais boivent-ils ? insistai-je.

— Nous faisons tous nos efforts pour ça, bien entendu, et c'est même en cela que consiste le traitement de leur état général. On commence avec dix gouttes de cidre dans leur petit déjeuner, et l'on augmente progressivement les doses. Quand ils peuvent boire leurs six apéritifs par jour, ils sont renvoyés en bas et peuvent recommencer une vie normale. Mais on continue à les surveiller, de peur d'une rechute. A propos (ici il me jeta un coup d'œil soupçonneux), vous n'avez pas soif ?

— J'en crève, dis-je.

Rassuré, il me tendit un flacon d'arquebuse que je lui rendis sec.

— Vous semblez, dit-il, avoir du cœur au ventre. Je vais donc vous faire la faveur tout à faire rare de vous faire visiter l'autre section de l'infirmerie, celle des évadés. Ce sont les incurables. Ils croient qu'ils ont réussi à sortir. Nous ne pouvons que les isoler autant que possible des autres malades, car leur mal est parfois extrêmement contagieux. L'un d'eux, qui est un remarquable bactériologue, car cette maladie ne porte pas forcément atteinte aux facultés intellectuelles, s'est même mis en tête que c'était une maladie microbienne et peut-être n'a-t-il pas tort. Il passe son temps à chercher un sérum, et comme les piqûres, vaccinations et inoculations qu'il fait subir aux malades sont assez innocentes, et les gardent même de la neurasthénie, nous le laissons faire. Malheureusement, il se croit lui-même tout à fait sain et normal. Autrement, le professeur Mumu, c'est son nom, serait un des grands génies de la science médicale. D'ailleurs, vous le verrez à l'œuvre.

— Mais, dis-je, que boivent ces malheureux ?

— Du tilleul, hélas, ou du jus de raisin non fermenté. Ils refusent obstinément la moindre goutte d'alcool. La vue d'un bock de bière leur retourne les entrailles. Ne vous ai-je pas dit qu'ils étaient incurables ? Mais venez voir vous-même.

3

Soulevant une tenture, il découvrit une porte aux serrures compliquées, puis il sortit de sa poche un trousseau de clefs et une gourde qu'il me tendit.

— Garnissez-vous l'estomac pendant que j'ouvre, dit-il, car nous devrons rester une heure ou deux sans boire » et il ferailla dans les serrures.

La porte tourna silencieusement et nous nous trouvâmes au Paradis. Une lumière ! Des lustres ! Des moulures dorées ! Des papiers

peints, qu'on aurait dit des vraies tapisseries.
Des divans profonds comme des tombereaux,
couverts de torrents de soie artificielle. Des
fontaines lumineuses qui distribuaient ver-
veine, camomille, menthe, orangeade, limo-
nade, avec des gobelets en métal argenté, plus
léger que le massif et si plus commode ! et
tout ça pour rien, à portée des lèvres. Des
bibliothèques à catalogues électriques et dis-
tribution automatique. Des pupitres en contre-
plaqué avec phonographe, T.S.F. et cinéma
sonore individuel. Des brises de patchouli.
Des rosées de glycérine, qui ne s'évapore pas,
sur des gazons de papier paraffiné, qui ne
fane pas.

Des anges en baudruche, gonflés d'hydro-
gène, flottaient parmi les cataractes de
lumière oxhydrique, agitant dans leurs ten-
dres mains des harpes éoliennes d'où neigeait
le bruissement de valses viennoises et d'allè-
gres chants militaires, enfin de tout pour tous
les goûts.

4

Mon guide resta un moment à goûter mon
ébahissement, puis, en me touchant l'épaule,
il me dit :

— Et ils ont arrangé tout ça eux-mêmes, il
faut vous dire. Ils sont très ingénieux et entre-
prenants, et l'Administration s'efforce de mettre tout le matériel possible à leur disposition.
Je vais vous guider parmi les divers services
et vous pourrez, si bon vous semble, vous
entretenir avec les malades. Mais ne leur par-
lez ni de boire, ni des mondes inférieurs d'où
nous venons, ni de leur maladie, car ils
pourraient vous faire un mauvais parti. Allons
d'abord au Stade.

On appelait ainsi un vaste rectangle sablé,
dominé par une statue monumentale, en métal
et articulée, de la Machine Humaine, décorée
de fleurs en clinquant et cellophane déposées
là en bouquets par de pieuses mains. Les pieuses mains en question étaient actuellement
posées à plat sur le sol, et servaient de pieds
à des corps humains courant la tête en bas
sous les regards d'un grand concours de peuple
assis sur des gradins. Celui qui arrivait le premier au bout d'une certaine piste recevait un
citron pressé et une salade, dont il se régalait,
et se croyait quelque chose. D'autres jouaient
à se laisser tomber la tête la première d'en
haut d'une échelle, et celui qui, tombant de la
plus grande hauteur, arrivait à se relever dans
les dix secondes, recevait le titre de champion
et beaucoup d'applaudissements. D'autres se
livraient à mille autres jeux, où il s'agissait

toujours de tirer, de pousser, de courir, de sauter, de cogner ou d'encaisser plus fort que les autres. Certains s'aidaient d'instruments de torture divers ou de machines à moteurs qui faisaient de temps en temps explosion. On empaillait les morts, et on les collectionnait dans des Musées que l'infirmier me conseilla de ne pas visiter.

— Ça vous donnerait trop soif, me dit-il. Au reste, ne nous attardons pas dans ces parages. Il y a encore tout près d'ici une colonie de cultivateurs qui font pousser des pommes de terre afin de se nourrir pour avoir les forces nécessaires à la culture des pommes de terre. D'autres se sont mis à construire des maisons, puis ils ont dû inventer des hommes mécaniques pour les habiter, puis des filatures pour habiller les automates, puis d'autres automates pour faire marcher les filatures, puis des maisons pour loger ces automates, et, enfin, tout ce monde est dans une telle fièvre d'activité, dans un tel enthousiasme de travail, que vous pourriez difficilement échanger deux mots avec le moins affairé d'entre eux.

— Et tout ça sans boire ? dis-je.

— Rien que des jus de fruits acides, et surtout des tonneaux d'huile de bras, qui font qu'ils sont tous saouls comme des canards, sans s'en douter. Mais hâtons-nous, avant d'être complètement desséchés.

5

Je m'étonnais, en gravissant un tertre fleuri de celluloïd, qu'un univers entier pût tenir dans cette soupente. L'infirmier m'expliqua :

— Ici comme partout, mais ici on vous le fait remarquer tout spécialement, l'espace se fabrique selon les besoins. Voulez-vous faire une promenade ? Vous projetez devant vous l'espace nécessaire que vous parcourez au fur et à mesure. De même du temps. Comme l'araignée sécrète le fil au bout duquel elle se laisse glisser, vous sécrétez le temps qu'il vous faut pour ce que vous avez à faire, et vous marchez le long de ce fil qui n'est visible que derrière vous mais qui n'est utilisable que devant vous. Le tout est de bien calculer. Si le fil est trop long, il fait des plis et s'il est trop court, il casse. Si je ne craignais pas d'attraper soif en parlant, je vous dirais pourquoi c'est si dangereux pour l'araignée d'avoir derrière elle un fil qui fait des plis.

— N'est-ce pas que, le moment venu de remonter en ravalant son fil, les nœuds se mettent en travers du gosier...

— Et l'on n'a même pas la ressource de
boire un coup pour les faire passer. Vous
l'avez dit.

6

Du haut du tertre que nous avions achevé
de gravir en silence, un pêle-mêle de palais
de tous styles, de gares, de phares, de temples,
d'usines et de monuments divers s'étendait
sous nos yeux.

— Vous voyez ici, me dit mon guide infati-
gable, la Jérusalem contre-céleste, résidence
capitale des Evadés supérieurs. Maintenant
que votre regard commence à se retrouver
dans ce chaos de bâtiments, vous pouvez
remarquer que la ville se divise en trois
régions concentriques. Vous voyez d'abord,
tout autour, cette zone encombrée d'aérodro-
mes, de ports de mer (là-bas, tous ces échalas
qui se dandinent), de gares de chemins de fer,
d'hôtels et de cireurs de bottes ; c'est là qu'ha-
bitent les Evadés supérieurs de la première
catégorie, les Bougeotteurs. Dans la région
intermédiaire, celle d'où s'élèvent ces églises,
ces gratte-ciel, ces statues, ces obélisques,
vivent les Fabricateurs d'objets inutiles. Les
quartiers du centre, là où vous voyez ces bel-

les constructions de verre et ces inoffensifs
canons de télescopes et la grande girouette,
là, sur la gauche, c'est la région des Explicateurs. Et vous voyez, juste au centre, la cathédrale ?

— Oui, qui habite là ?

— C'est comme qui dirait les dieux, la fine
fleur des Evadés supérieurs. Nous ferons halte
chez eux et je vous assure qu'on ne s'embêtera
pas.

— Mais y trouverons-nous à...

Il me cloua la langue d'un regard terrible.

— Y penser toujours, dit-il, n'en parler
jamais. Allons visiter les Bougeotteurs.

(Vous apprendrez plus tard qu'en ce qui
concerne les dieux, il s'était salement moqué
de moi.)

7

En quelques minutes de marche nous nous
trouvâmes à l'entrée du plus grand aéroport
de la ville. Le Grand Hôtel du Départ venait
de tirer un coup de canon pour annoncer que
le Prince de la Bougeotte était son hôte ce
jour-là. Il devait rester cinq minutes, à en
croire la confidence d'un chasseur. C'était une
chance inespérée, m'expliqua l'infirmier en

me poussant dans l'ascenseur et il ne m'avait pas encore dit pourquoi qu'il avait déjà fait sauter une serrure à la dynamite et nous voici dans la chambre du Prince. Il est couché dans sa malle-baignoire (une invention à lui), un récepteur téléphonique à chaque oreille, quatre dictaphones braqués vers sa bouche et trois sbires le veillant, revolvers aux poings.

— Laissez-moi l'interviewer, me dit mon compagnon, vous ne sauriez pas y faire.

Il s'approche du Prince et le dialogue suivant s'engage :

— D'où ? — Cap. — Où ? — Chaco. — Par où ? — Klondyke. Pressé — Quoi ? — Fusils mitrailleurs, opium, ouvrages pornographiques et de piété. — Combien ? — Millions de piastres. Cent mille victimes. Crise ministérielle. Cinq divorces. — Etes-vous heureux ? — Pas le temps.

Un haut-parleur cria : « L'aérobus de Son Altesse est avancé. » Les trois sbires tirèrent chacun trois coups en l'air et les quatrièmes coups nous frôlèrent de près tandis que nous déguerpissions.

— Pas très intéressante, Son Altesse, dis-je.

— Parce que vous ne savez pas regarder. Venez, je vous montrerai des variétés plus observables de Bougeotteurs. Plus dangereuses aussi.

8

— Passons sur les types intermédiaires,
continua-t-il en me faisant entrer dans une
grande maison rococo, et allons tout de suite
à l'autre extrême. Entrez dans cette salle de
jeu et regardez. Nous ne risquons rien, on ne
nous remarquera pas, ou bien on nous prendra
pour des garçons de bureau.

Autour d'une table de roulette une centaine
d'hommes de toutes races, chacun portant
son pavillon national planté dans le crâne,
jouaient gros jeux. Le croupier était une sorte
de dieu Janus à tête de mappemonde ayant
en guise de visages les deux hémisphères,
arrangés un peu autrement que dans nos écoles.
Sur l'un en effet étaient groupées toutes les
Métropoles, sur l'autre toutes les Colonies.

On jouait à qui perd gagne. La roulette me
parut truquée, mais un spécialiste m'a expliqué plus tard « qu'il n'en était rien, que seulement il n'était fixé aucun maximum de mise
et que les capitaux, étant négatifs, étaient illi-
mités, ce qui rendait valables les martingales
les plus abruptes ». Je vous donne l'explication
pour ce qu'elle vaut. Toujours est-il que les
joueurs posaient sur le tapis des poignées de

soldats de plomb, des tanks en miniature, des canons-bijoux, des Bibles expurgées, des lino-types, des maquettes d'écoles modernes, des phonographes, des bouillons de culture de tous les bacilles dont ils étaient infectés, des missionnaires en carton-pâte, des paquets de cocaïne et même des échantillons d'alcools fre-latés, si frelatés que pas même mon guide ni moi n'en aurions voulu goûter ; d'ailleurs quand je dis des alcools, ou des tanks, ou des missionnaires, c'est une façon de parler, comme nous disons sou, rond, thune, louis, bil-let, sac ou unité, en langage parisien, pour dési-gner des quantités différentes d'une même monnaie, car ces alcools, ces tanks et ces missionnaires et tout le reste ne signifiaient rien d'autre que certaines doses de la monnaie en usage chez ces gros joueurs. Et comme nous appelons notre monnaie de l'argent, même si elle est en papier, ainsi leur monnaie portait le nom générique de civilisation.

Chaque fois qu'un ponte avait perdu sa mise, le croupier bi-frons ratissait les bienfaits de la civilisation, son visage Métropole écla-tait d'un rire hideux sous lequel on voyait souffrir toutes les cellules de l'épiderme, tan-dis que le visage Colonie s'empourprait d'une rosée de sang, d'incendies et de hontes.

Quand un joueur avait bien perdu, c'est-à-dire gagné, le croupier le récompensait d'une

médaille plus ou moins éclatante. Quelques-
uns disparaissaient déjà sous des manteaux
scintillants de crachats.

9

Je ne pouvais supporter davantage ce dégoû-
tant spectacle et je refusai de visiter les autres
salles de jeu. L'infirmier m'approuva :

— C'est toujours, dit-il, du pareil au même.
Il y en a qui jouent aux échecs, d'autres aux
boules, d'autres au poker d'as ou au bilboquet,
mais c'est toujours la bougeotte qui les tient.
Ils croient qu'ils ont réussi à sortir de notre
établissement. Ils le croient si bien qu'ils arrivent à être partout sauf dans leur peau. Parfois il y en a un qui par hasard, parce que
ça se trouve sur son chemin, passe par sa peau
et s'y empêtre et la reconnaît ; alors il se fait
le plus souvent sauter la cervelle. Leur bougeotte est invisible. Tandis que leurs carcas-
ses demeurent attablées à quelque tapis vert,
ils voyagent aux quatre coins du monde, ou de
leur pays, ou de leur usine, ou de leur maison,
selon leur envergure, mais partout où ils se
dépensent, c'est un fourmillement de malheurs. Ils appellent cela gouverner. Ce sont

tous de grands organisateurs. Ils ont fortune
et gloire. Ils sont incurables. Mais voici notre
autobus, sautons dedans.

C'était un autobus très banal et, faute d'im-
pressions extérieures assez vives, je recom-
mençai à sentir douloureusement la sécheresse
de mon gosier et de ma bouche. L'autre
comprit mon regard et me dit :

— Mieux ne pas en parler. Mais si on parle,
alors il n'y a qu'à sauter les mots scabreux.
On se comprendra toujours.

— Assurément, dis-je. Je souffre d'une
inextinguible. Je donnerais cher pour un bien
tassé ou un coup de frais. N'y a-t-il pas moyen
de ne serait-ce qu'une larme ?

— Nous devons encore visiter les Fabricateurs et les Explicateurs avant d'arriver chez
les dieux. Là vous pourrez, si vous vous condui-
sez bien, être admis à respirer les vapeurs
des bas-mondes par la trappe. C'est tout ce
que je peux vous promettre. Mais je vous
assure que le voyage de retour sera très court :
juste le temps d'y penser. Ah ! nous voici arrivés.

10

Les Fabricateurs d'objets inutiles, que nous nommerons, pour abréger et pour ne pas blesser leur dangereuse susceptibilité, les Fabricateurs tout court, n'appellent jamais les choses par leurs noms. Quelques-uns vivent dans des maisons de verre qu'ils appellent des tours d'ivoire, quelques autres dans des caisses de béton qu'ils appellent des maisons de verre, beaucoup dans des cabinets noirs de photographe qu'ils appellent la nature, beaucoup encore dans des cages à cynocéphales, des grottes à vampires, des parcs à pingouins, des théâtres de puces, des baraques à marionnettes, qu'ils appellent le monde ou la société ; tous, enfin, chérissent et cajolent un des viscères de leur corps, généralement le moins bon, intestin, foie, poumon, corps thyroïde ou cerveau, le caressent, le parent de fleurs et de bijoux, le bourrent de friandises, l'appellent « mon âme », « ma vie », « ma vérité », et ils sont prêts à laver dans le sang la moindre insulte qui serait faite à l'objet de leur dévotion interne. Ils appellent cela vivre dans le monde des idées. Heureusement, grâce à un petit dictionnaire de poche que mon guide avait pris avec lui, je pus très vite entendre leurs dialectes.

11

Ces Fabricateurs sont d'une ingéniosité incroyable. Tout leur sert à fabriquer. J'en ai même vu qui parvenaient à rendre inutilisables les choses les plus utiles et cela s'appelle dans leur langue le triomphe de l'art. Un de leurs maîtres venait d'achever la construction d'une maison parfaitement inhabitable et voyant mon émerveillement il condescendit à m'expliquer :

— Quand l'arbre pousse, ce n'est pas pour fournir une habitation aux oiseaux. L'oiseau est le parasite de l'arbre, comme les humains sont les parasites de la maison. L'édifice que je crée a son sens en lui-même. Voyez cette simplicité et cette audace de lignes : un mât de ciment de soixante mètres qui supporte des sphères de caoutchouc à double paroi. (Cela ressemblait en effet à une gigantesque grappe de groseilles multicolores.) Ni murs, ni toit, ni fenêtres ; il y a bel âge que nous avons renié ces superstitions. Chaque sphère est décorée intérieurement selon mes plans, et un ascenseur central permet de les visiter sans fatigue. La température y est maintenue exactement à la moyenne idéale convenant à l'organisme humain idéal, telle que nos savants l'ont déterminée. C'est la seule température où personne n'est à l'aise ; les uns grelottent et les autres suent. C'est ainsi qu'à notre époque la science se met au service de l'art pour rendre les maisons inhabitables. Celle-ci durera au moins six mois.

12

Nous prîmes poliment congé du grand architecte (c'est du moins le titre dont il se parait) et poursuivîmes notre chemin. Toutes sortes de fabricateurs étaient à l'œuvre autour de nous, les uns dans des ateliers de plein air, d'autres dans des verrières, et sans doute encore beaucoup d'autres qui travaillaient dans le secret aux étages supérieurs des maisons. Les plus robustes taillaient dans la pierre des figures d'hommes, de femmes, d'animaux, de monstres ou de rien du tout. Les plus faibles taillaient dans le plâtre et modelaient dans l'argile. Toutes ces productions allaient peupler d'anciens palais désaffectés et chaque jeudi et chaque dimanche une grande foule venait les adorer sans savoir pourquoi. Comme j'en faisais l'observation à l'infirmier, il me dit à l'oreille :

— Taisez-vous, malheureux ! Si jamais vous prononciez tout haut ce mot : pourquoi, vous ne sortiriez pas vivant d'ici. Puisque je vous ai dit et répété qu'ils étaient incurables. Je vais vous dire leur secret. Vous vous souvenez que chacun de ces fabricateurs a un viscère malade qui est son principal souci. Il sait que s'il laisse faire la nature cet organe mourra avec lui. S'il était resté en bas avec nous, c'est bien ce qui serait arrivé. Mais il a trouvé ce moyen sublime : il fabrique des objets inutiles ; inutiles, donc on ne s'en sert pas ; on ne s'en sert pas, donc ils ne s'usent pas ; donc ils dureront longtemps. Ce n'est pas sans logique. Dans chacun de ces objets — c'est là le secret que le public ignore — il cache un petit fragment de son viscère. Quand tout a été employé, l'homme meurt. Mais son viscère malade et chéri, mis en conserves sous des figures nombreuses et variées, continue à subsister, parfois pendant des siècles. C'est plus fort qu'Alexis Carrel et son perpétuel cœur de grenouille. Et, pour le sublime, c'est plus fort que le pélican, c'est digne de l'histoire romaine. Malheureusement, quand quelqu'un a juré de sacrifier toute sa vie à son pauvre petit pancréas malformé, quels que

soient les noms d'oiseaux dont il le nomme,
il n'y a plus d'espoir pour l'Administration
de le guérir, ni lui ni son pancréas.

13

Comme nous passions par un autre quartier
où vivent des Fabricateurs spécialisés dans
le coloriage de rectangles de toile, j'essayai
de détourner l'attention de mon guide sur un
autre sujet ; car, me disais-je, si nous nous
arrêtons partout, ce sont encore des heures
à souffrir cette terrible sécheresse de la glotte,
sans d'ailleurs apprendre rien de nouveau. Je
lui demandai donc :

— Vous me parliez tout à l'heure du public.
Qui est-il ? D'où vient-il ? Est-il malade lui
aussi ?

— Le public vient comme nous des mondes
inférieurs, c'est-à-dire de la salle du rez-de-
chaussée où, tranquillisez-vous, nous retour-
nerons bientôt. Une petite partie seulement du
public est contaminée sans remède et reste ici
à demeure. Le reste vient, à ses heures de loi-
sir, visiter les musées, écouter les conférences
et les concerts et lire dans les bibliothèques.
Ce public, sachez-le d'abord, n'a jamais su
fabriquer que des objets utiles. Ensuite, il ne

s'est jamais senti assez d'héroïsme pour s'immoler au profit exclusif d'un viscère ou d'un autre. Enfin il ne comprend pas, parce qu'il ne sait pas le secret que je vous ai confié. Pour ces trois raisons, il est rempli d'admiration pour ces Fabricateurs d'objets inutiles.

« Chaque fois qu'il le peut, il vient adorer leurs œuvres, lire l'histoire de leur vie, déposer pour eux des offrandes. Il leur apporte les pauvres petites choses utiles qu'il sait faire, des maisons d'habitation, des vêtements d'habillement, des nourritures d'alimentation. Puis il redescend à ses travaux quotidiens. Les Fabricateurs d'objets inutiles l'accueillent avec bienveillance. Comme ils professent un grand mépris de la vie corporelle, ils jugent inoffensifs ceux qui produisent des objets servant seulement à cette vie corporelle. Il n'y a qu'une catégorie d'humains qu'ils ne peuvent souffrir et qu'ils sont prêts à lacérer, à affamer, à écraser ou à manger tout crus, ce sont les fabricants d'objets autrement utiles, les quelques survivants de ceux qu'aux siècles passés l'on appelait des artistes. Mais ceux-ci ne s'aventurent jamais dans ces parages que dans des autos blindées.

14

— Bien, dis-je. Mais quels prétextes les Fabricateurs donnent-ils au public ? A quoi prétendent-ils servir ?

— Vous ne me croiriez pas si je vous répondais. Mais plutôt, comme nous sommes parmi les colorieurs de toile, qui sont loquaces, nous allons en interroger quelques-uns.

Il interpella un gros homme déguisé en Espagnol et lui demanda pourquoi il peignait.

— Moi, dit celui-ci, tenez : je peins une poire. Quand vous aurez envie de la manger, alors je serai content.

L'infirmier commenta : « Donner à son prochain un désir sans le moyen de le satisfaire », puis il en interrogea un autre, un obèse rougeaud à barbe blonde qui déclara :

— Pour moi, c'est bien simple. Je suis devant ma toile (il l'était en effet), je regarde ma pomme ou mon nuage, je prends ma brosse, je choisis un vermillon (c'est ce qu'il fit), je le fiche *là* (il faillit percer la toile) et je jjubile (il jubilait visiblement). Je regarde mon vermillon, et puis ma courgette ou mon

loup de mer, je prends un vert, je le fous *là*
(il frappa d'estoc puis de taille) et je jjubile (il
rejubila)...

— Ça va, ça va, mon gros, amuse-toi tout
seul, dit mon guide en passant à un troisième,
un petit rouquin trapu qui répondit ainsi à la
question :

— Prétendre imiter la nature, c'est d'abord
vulgaire et puis c'est sacrilège ; enfin, c'est
chercher l'impossible. Peindre pour le plaisir
de faire dégouliner sur la toile un tempéra-
ment multicolore, c'est répugnant. Peindre,
pour moi, c'est mettre la figure et la couleur
au service direct d'une pensée librement constructive, c'est faire chanter la géométrie, c'est
abstraire l'abstrait de sa propre abstraction,
c'est une décalcomanie synthétique du dyna-
misme du volume dans sa résorption relati-
viste, c'est...

— C'est ceci, continua l'infirmier en me
montrant, tandis que l'autre parlait toujours,
des figures tracées à la règle et au compas et
coloriées de teintes plates.

— Et c'est bien ennuyeux, poursuivit-il.
Quelques-uns de ces prétendus peintres ont
imaginé de construire leurs tableaux selon les
lois du nombre d'or et du cercle chromati-
que. Inutile de vous dire que ce ne sont pas
le vrai nombre d'or ni le vrai cercle chroma-
tique. La preuve c'est que, pour la relation

d'or, par exemple, ils en font une construction géométriquement sur la toile, s'appliquant ensuite à habiller ce canevas, comme peut faire le premier venu ; ainsi sont-ils de faux peintres et de mauvais géomètres. Au lieu que le vrai peintre, comme vous savez, possède en lui, dans ses muscles, dans sa sensibilité, dans sa pensée même, le nombre ou les nombres d'or et les lois de la couleur ; il les possède, il les a payés, il les fait vivre dans tout ce qu'il vit et voit, et non seulement sur sa toile : aussi son œuvre est-elle utile et universelle. Le peintre, de plus, comme tout artiste, pense avant de faire, tandis que ceux-ci, comme vous en verrez l'analogie chez chacun de nos Fabricateurs, commencent par peindre dans l'espoir de découvrir après coup, sans avoir à penser, ce qu'ils auraient pu penser avant de peindre, s'ils avaient voulu penser. Mais je vois que je vous fatigue.

15

Tout en marchant je songeais :

« Et dire que nous sommes simplement dans un grenier, sous les combles d'une maison perdue on ne sait en quel point du globe, ni même si c'est un globe, et en tout cas ce n'est pas un point ; dans un petit coin d'un grenier vivent ou croient vivre ou je crois voir vivre ces populations. Et dire qu'un simple petit escalier raide les sépare de la salle enfumée d'en bas, où le vieux est en train de discourir sur la puissance des mots, où l'on boit dur, où j'ai hâte de redescendre.

« En bas la soif, la soif toujours nouvelle, les chandelles toujours près de s'éteindre, mais tant qu'elles luisent si peu que ce soit, elles brûlent aussi et donnent soif.

« Ici la soif désaltérée de boissons illusoires, la lumière éclatante de soleils électriques et froids. Ici il fait froid, en bas il fait sombre. Et les plus saouls ne sont pas ceux qui boivent.

— Un peu de patience, m'interrompit l'infirmier. Nous en aurons bientôt fait le tour. Jetez un coup d'œil, en passant, sur cette femme qui est passée maître dans l'art de faire des gestes inutiles.

La femme en question, vêtue d'un faux péplum, marchait et gesticulait sur une estrade devant quelques centaines de spectateurs ravis. Grâce au dictionnaire de poche, qui contenait aussi l'explication du langage par gestes utilisé parfois par les Fabricateurs, je puis vous donner une traduction assez fidèle de sa

mimique. Mais le public et elle-même l'enten-
daient sans doute autrement.

— Constatez d'abord, disait son corps agité,
que je suis très belle. Et souple et adroite et
spirituelle et pathétique et mystérieuse tout
à la fois. Je puis me tenir toute raide sur la
pointe de mes orteils en laissant tomber mes
mains comme des fleurs fanées sans que cela
serve à quoi que ce soit. Rien ne me force à
faire ces cinq pas précipités en avant et c'est en
toute liberté que mes magnifiques cheveux se
rabattent soudain sur mon visage convulsé
sans motif ; il m'a fallu trois ans pour arriver à cela. Si je joins les doigts de cette façon
tarabiscotée, c'est que je l'ai vu faire à un
pauvre barbare superstitieux qui trouvait cela
logique ; moi, je trouve cela joli et je me
passe très bien de la raison. Et dégringoler
ainsi sur les planches, un genou en terre et
les yeux révulsés, n'est-ce pas grandiose ?
Pour moi, j'en suis terriblement émue, d'une
émotion parfaitement gratuite d'où je sors aussitôt pour tendre brusquement mes bras vers
un ciel qui n'existe pas et, maintenant quoi ?
— quoi ? suis-je à court d'imagination ? Eh
bien je recommence la même série, mais cette
fois vous me verrez de dos. Maintenant en
commençant par la fin. Le coup de la chevelure fait toujours son petit effet ; à quoi bon

en chercher un autre ? Je termine par une pirouette et je m'effondre.

Les spectateurs frappèrent frénétiquement des mains, ce qui, là-haut, est un signe de contentement et d'approbation. L'infirmier me chuchota à l'oreille que son regard médical percevait parmi les entrailles de cette dame son petit viscère favori qui pleurait de joie.

16

— Elle a au moins, lui dis-je, le mérite de la sincérité.

— Fichu mérite. Ils l'ont tous. Ils s'étalent sans aucune pudeur à tous les yeux, sauf aux leurs propres, bien entendu. Comme nous disons, dans notre métier, un bel abcès, un magnifique eczéma, ainsi font-ils admirer leur viscère malade sous toutes les coutures. L'homme qui fabrique une assiette, ou une chemise, ou du pain, ou ce que nos arrière-ancêtres appelaient une œuvre d'art, n'a pas à chercher à être sincère; il ne peut que faire son métier de son mieux. Mais dès qu'il fabrique des choses inutiles, comment ne serait-il pas sincère ? (J'emploie ce mot dans le sens un peu

bizarre où vous semblez l'entendre vous-
même.)

« Voyez encore, poursuivit-il en se faufilant
au cœur d'une autre assemblée, voyez ces
gens qui se démènent et conversent sur ce
plancher surélevé. Ils ne sont jamais tellement pareils à eux-mêmes qu'ici, mais ils ne
s'en rendent pas compte. Leur plaisir, à ceux-
là, c'est de représenter des vies humaines
imaginaires et improductives. C'est seulement
dans ces conditions qu'ils peuvent exposer à
tous les regards leurs viscères malades et les
faire triompher par la vertu magique de gestes et de paroles parfaitement désintéressés.

« D'autres se contentent de laisser chanter
leur petite divinité intérieure. Ils se sont empa-
rés des instruments à produire des sons divers
qui étaient jadis des outils de première nécessité et ils ont réussi à en faire des objets de
luxe. Ils font vibrer des cordes, des tuyaux,
des membranes, avec cette joie de ne pas
savoir pourquoi qu'ils nomment liberté. C'est
étonnant qu'il n'arrive pas plus d'accidents.

« Mais je vous ai réservé pour finir une
variété tout à fait particulière de Fabricateurs.
Ceux-là vous intéresseront au plus haut point.
Si je me souviens bien, vous étiez en effet de
ceux qui étaient venus, en bas, pour prendre
part à une grande discussion sur la puissance
des mots. Vous allez donc voir ceux qui croient

avoir trouvé le secret que vous cherchiez, ou qui croient qu'il n'y a pas de secret, les Fabricateurs de discours inutiles.

17

Les Fabricateurs de discours inutiles forment trois clans principaux, celui des Pwatts, celui des Ruminssiés et celui des Kirittiks. Traduits en français, ces noms signifient respectivement : « menteurs en cadence », « marchands de fantômes » et « ramasse-miettes ».

Les Pwatts se prétendent les descendants des bardes, aèdes et trouvères d'autrefois. « Mais, m'expliqua l'un d'eux, un gros homme lunaire, agité et débraillé, que nous trouvâmes attablé dans une crémerie, quelque respect que nous professions pour les ancêtres de notre corporation, nous n'en avons pas moins rompu avec le bas utilitarisme de leur métier. Ils servaient de la poésie comme on sert des repas, assaisonnant la nourriture au goût de chacun. Ils voulaient édifier, instruire ou plaire, et ils le faisaient bien.

« Nous visons plus haut. Notre tâche est de transmuer les mots grossiers de tous les jours en un langage qui ne soit pas de ce monde, qui ne soit assujetti à l'utile ni à l'agréable. Nos aïeux parlaient et chantaient, mais beaucoup dédaignaient d'écrire. Ils croyaient que l'écriture était faite seulement pour noter après coup les poèmes qu'ils avaient composés, ou pour en conserver les thèmes généraux et les arguments sur lesquels ils improviseraient. Ainsi de leur œuvre éphémère ne restait que le squelette. Nous, nous ne parlons pas, nous écrivons. Et nos œuvres, enfermées dans de solides bibliothèques, défient les siècles. Du même coup, quelle liberté nous avons gagnée ! Plus d'auditeurs gênants dont le caprice ou la stupidité nous imposeraient de parler autrement ou plus clairement que nous ne voudrions. Plus de responsabilités qui couperaient les ailes à notre inspiration. Plus de limites de temps non plus ; nous mettons dix minutes ou six mois à produire un poème, comme il plaît à notre lyrisme. »

(Lyrisme ? Je ne connaissais pas ce mot-là. Je consultai le dictionnaire de poche et je lus :

LYRISME, subst. msc., dérèglement chronique de la hiérarchie interne d'un individu, qui se manifeste périodiquement chez celui qui en est atteint par un besoin irrésistible, dit *inspiration,* de proférer des discours inutiles et cadencés. N'a rien de commun avec ce que les anciens appelaient *lyrisme,* qui était l'art de faire chanter la lyre humaine préalablement accordée par un long et patient travail.)

Le Pwatt continuait :

— Nous autres Pwatts sommes partagés en deux sous-clans : celui des Pwatts passifs et celui des Pwatts actifs. Les premiers sont certainement les meilleurs, et je suis bien placé pour vous en parler, car je suis unanimement considéré comme leur représentant le plus brillant. Ce sont des questions de méthodes qui nous séparent. Nous ne nous fréquentons guère. Nous, Pwatts passifs, voici comment nous pratiquons :

« On attend d'abord que se produise un état de malaise particulier, qui est la première phase de l'inspiration, dite « vague-à-l'âme ». On peut parfois aider ce malaise à se déclarer en mangeant trop, ou pas assez ; ou bien, on prie un camarade de vous insulter grossièrement en public et l'on s'enfuit en se répétant intérieurement ce que l'on aurait fait si l'on avait été plus courageux ; ou bien on se laisse tromper par sa femme, ou l'on perd son portefeuille, toujours sans se permettre d'avoir de réactions normales et utilitaires. Les procédés varient à l'infini.

« Alors on s'enferme dans sa chambre, on se prend la tête à deux mains et l'on commence à beugler jusqu'à ce que, à force de beugler, un mot vous vienne à la gorge. On l'expectore et on le met par écrit. Si c'est un substantif, on recommence à beugler jusqu'à ce que vienne un adjectif ou un verbe, puis un attribut ou un complément, et ainsi de suite, mais d'ailleurs tout cela se fait de façon instinctive. Surtout, ne pas penser à ce que l'on veut dire, ou, mieux encore, ne rien vouloir dire, mais laisser se dire par vous ce qui veut se dire. Nous appelons cela le délire poétique, qui est la deuxième phase de l'inspiration, et dont la durée est très variable.

« La troisième phase est la plus difficile, mais elle n'est pas absolument nécessaire. C'est celle où l'on reprend ce que l'on a écrit pour en supprimer ou modifier tout ce qui risquerait d'offrir un sens trop clair et tout ce qui ressemble plus ou moins à ce que d'autres ont déjà publié. A cause des mouvements respiratoires auxquels on s'est astreint au moment du délire poétique, les mots que l'on aligne possèdent tout naturellement une cadence qui leur donne droit au titre de « poésie ».

« Voulez-vous un exemple ?

— Non, merci, dit l'infirmier. Et il m'entraîna tandis que le gros homme tirait quand

même de sa poche un épais manuscrit et se
mettait à lire aux anges.

18

Nous montâmes jusqu'au bureau d'un autre
Pwatt notable, de l'espèce dite, je ne sais pourquoi, active. C'était un grand sec, noir et
distingué, minutieux dans sa mise et dans l'or-
donnance des instruments à écrire disposés
sur sa table d'ébène. Il but une gorgée d'eau
fraîche d'une coupe de cristal et dit :

— L'inspiration, Messieurs, n'est qu'une
courte folie. Nous autres Pwatts actifs, dont
je suis le plus célèbre représentant, nous
n'avons qu'un guide, qui est la raison.

(Raison ? Je feuilletai furtivement le dictionnaire et trouvai :

> RAISON, subst. fm., mécanisme ima-
> ginaire sur lequel on se décharge de la
> responsabilité de penser.)

L'autre poursuivait :

— Comme nos soi-disant collègues les ins-
pirés, nous partons d'un mot ou d'un groupe
de mots initiaux. Mais c'est la raison qui nous
oblige à le faire car, notre matière étant les
mots, c'est des mots que nous devons partir.

J'ai considérablement perfectionné l'art de la création poétique en inventant le petit appareil que vous allez voir.

Portant la main à son crâne, avec une touchante simplicité il en souleva le couvercle et je vis, proprement vissée à la glande pinéale, la machine poétique. C'était une sphère de métal suspendue à la Cardan, creuse et remplie, à ce que je compris, de milliers de minuscules lames d'aluminium sur chacune desquelles était gravé un mot différent. La sphère tournait sur ses deux axes, puis s'immobilisait en laissant tomber un mot par une ouverture inférieure. On la fait tourner ainsi — par la puissance de ce qu'ils appellent la pensée — jusqu'à ce que l'on ait tous les éléments nécessaires à la constitution d'une phrase. Le Pwatt continua, son couvercle toujours ouvert :

— Le calcul des probabilités, qui est la plus haute expression du rationalisme moderne, nous dit qu'il est pratiquement certain, à l'échelle cosmique, que la phrase ainsi établie sera un phénomène sans précédent, et qu'elle n'aura aucune signification utile. Ce sera la pure *materia prima* de la poésie. Maintenant, il faut informer cette matière.

« Le mètre à employer, je le détermine d'une façon non moins scientifique. Le poème étant la réaction réciproque du microcosme et du macrocosme à un moment donné, je dispose sur mon corps divers appareils qui enregistrent mon pouls, mon rythme respiratoire, et tous mes autres mouvements organiques. En même temps j'ai sur mon balcon des baromètres, des thermo, des hygro, des anémo, des héliomètres enregistreurs, et dans ma cave un sismo, un oro, un chasmographe, et je vous en cache bien d'autres. Quand tous les graphiques sont au complet, je les introduis dans la machine que voici.

(Il me désignait, un peu au-dessus du cervelet, quelque chose qui ressemblait à un appareil à sous des bistros d'avant 1937.)

— Cet appareil trace la résultante de toutes ces courbes. Je traduis les sinuosités, inflexions, maximinima, tours et détours de la ligne résultante en molosses, tribraques, amphimacres, péons, procéleusmatiques, en pauses, césures, arsis, thésis, accents toniques, et il ne me reste plus qu'à faire coller ce schéma métrique avec ma phrase initiale à laquelle je fais subir toutes les variations compatibles avec le mètre, par substitutions successives d'homonymes et de synonymes, de caconymes et de callinymes ; cent fois sur le métier je remets mon ouvrage, jusqu'à ce qu'il soit pour les humains plus beau qu'une bicyclette en or.

Je ne voulus pas en entendre davantage, car la tête me faisait mal. Je ne voyais pas qu'il

y eût une différence essentielle entre ces
deux genres de Pwatts. Tous deux confiaient
à des mécaniques étrangères le soin de penser
pour eux. Le premier logeait sa mécanique
dans ses entrailles, le second dans son crâne ;
c'était toute la différence. Et tout cela, je peux
bien le dire maintenant, me donnait soif, soif.
J'avais soif, j'avais soif de poésie.

19

Je ne voulus voir les Ruminssiés que de
loin et je crus sur parole mon guide qui m'expliqua brièvement :

— Ils passent leur temps à raconter par
écrit des vies imaginaires. Les uns racontent
ce qu'ils ont vécu en le mettant sur le compte
de personnages de leur fantaisie, afin de déga-
ger leur responsabilité et se permettre toutes
les impudences. Les autres font vivre à leurs
créatures tout ce qu'ils auraient bien voulu
vivre eux-mêmes, pour se donner l'illusion de
l'avoir vécu.

« Il y a encore parmi eux, il est vrai, deux
sectes hérétiques, les Mnémographes et les Bio-
graphes. Les premiers se complaisent à raconter, toujours par écrit, les événements les

plus flatteurs (ou les plus honteux, pour la vanité d'être sincère) de leur existence ; les seconds font de même avec les existences d'autrui.

« Les visiter tous serait fastidieux. Je voudrais seulement vous présenter à un de nos malades dont le cas, assez ambigu, tient du Pwattisme et du Mnémographisme. Il vous intéressera sûrement.

20

Il me fit entrer dans une maison d'aspect très quelconque. Nous montâmes deux étages ou trois, il sonna à une porte, me présenta à un certain « Monsieur Aham Egomet » et me dit avec un clin d'œil malicieux :

— Je vous laisse ensemble pour quelques minutes. Pendant ce temps, j'irai vérifier si les Kirittiks sont suffisamment approvisionnés de lecture, car c'est de cela seulement qu'ils s'abreuvent. A tout à l'heure.

Pour la première fois depuis mon excursion parmi les Evadés, je me trouvais comme chez moi. La chambre où j'étais m'était si familière que je serais incapable de la décrire. Je ne saurais davantage vous donner un portrait d'Aham Egomet, car ce personnage, me semblait-il, ressemblait à n'importe qui. Il répondait au « signalement » classique des commissariats de police. Signe particulier : néant. J'aurais été parfaitement à l'aise dès le premier instant avec cet individu, si je n'avais eu le sentiment obsédant d'être épié par des milliers d'yeux et d'oreilles invisibles, d'être devenu transparent à tout. Egomet me fit un sourire d'abominable complicité et me dit ce qu'il faisait.

— Moi, mon cher, c'est une tout autre histoire. Je suis ici en reportage. Je fais seulement semblant d'être atteint par leur mal, pour mieux les étudier. Après, je redescendrai et je publierai de mon voyage un récit qui fera sensation. Cela s'appellera (ici il s'approcha de mon oreille) *La Grande Beuverie.* Dans une première partie, je montrerai le cauchemar de désemparés qui cherchent à se sentir vivre un peu plus, mais qui, faute de direction, sont ballottés dans la saoulerie, abrutis de boissons qui ne rafraîchissent pas. Dans une deuxième partie, je décrirai tout ce qui se passe ici et l'existence fantomatique des Evadés ; comme il est facile de ne rien boire, comment les boissons illusoires des paradis artificiels font oublier jusqu'au nom de la soif. Dans une troisième et dernière partie, je ferai pressentir des boissons à la fois plus subtiles et plus réelles que celles d'en bas, mais qu'il

faut gagner à la lueur de son front, à la douleur de son cœur, à la sueur de ses membres.
Bref, comme disait le sage Oïnophile, « *alors
que la philosophie enseigne comment l'homme
prétend penser, la beuverie montre comment
il pense* ».

Il fut interrompu par l'infirmier, qui était
de retour et me pressait de continuer le
voyage. En sortant de la maison, je lui dis :

— Mais il n'est pas malade du tout, celui-
là !

— Ils disent tous ça, répondit-il ; et il ajouta
après un moment de réflexion : d'ailleurs,
s'il est malade ou non, vous seul pouvez le
savoir. Et s'il est malade, vous seul pouvez le
guérir.

C'était une lourde tâche. Je la pris pourtant
sur moi. Depuis lors, Aham Egomet et moi,
nous nous écrivons aussi régulièrement que le
permettent les services postaux. Parfois même
nous nous voyons. Il m'informe de ce qui se
passe là-bas et, de mon côté, je m'efforce par
mes conseils de le tenir à l'abri de la contamination.

21

— Les Kirittiks sont-ils bien approvisionnés ? demandai-je à l'infirmier après m'être
secoué de toutes sortes de sombres pensées.

— Oui. Chacun d'eux a pour le moins cinq
romans, trois essais, deux ouvrages philosophiques, soixante-douze recueils de poèmes,
quinze *Vies* d'hommes illustres, vingt livres de
Mémoires, trente pamphlets et des piles de
journaux et de revues à absorber avant la
fin de la semaine. Et c'est toujours ainsi. Ils
sont infatigables et insatiables. Nous perdrions
notre temps à vouloir nous entretenir avec
eux.

— Mais après lire, que font-ils ?

— Après lire, ils écrivent. Leur tâche est de
dépister parmi les écrits qui se publient ici
tout ce qui pourrait, plus ou moins directe-
ment, être utile à quoi que ce soit ; de dénon-
cer toutes les manifestations de ce que nous
appelons la santé et de rappeler à la maladie
ceux qui feraient mine de s'en écarter.

— Comment donc exercent-ils ce pouvoir ?
Quels moyens de contrainte possèdent-ils ?

— C'est bien simple. Vous savez qu'un Fabricateur de discours inutiles, si ses propos

ne sont pas écoutés par un public quelconque, ils lui rentrent dans la gorge et l'étouffent avec éclatement du viscère malade. Le Kirittïk s'interpose donc entre le Fabricateur et le public, ce respectueux public des mondes inférieurs dont je vous ai déjà parlé, et il lui dit : lisez ceci, ne lisez pas cela. Dans le premier cas, l'auteur peut se soulager de ses productions et en élaborer de nouvelles, dans l'autre cas il est suffoqué. C'est une singerie de ce que font, dans le monde des gens bien portants et pour un but opposé, ceux que nous appelons des critiques ; qui veillent inlassablement aux besoins des consommateurs, voient d'un coup d'œil de quoi ils ont faim et soif et cherchent parmi les producteurs ceux qui peuvent les satisfaire ; aidant ceux-là à se nourrir, ceux-ci à écouler leurs marchandises. Mais ici, comme vous l'avez déjà remarqué, c'est le monde à l'envers.

22

Nous laissâmes de côté une foule de variétés secondaires de Fabricateurs. Mon guide aurait bien voulu m'entraîner dans une vaste usine où l'on fabriquait des films cinématographiques, mais le spectacle que j'entrevis dès qu'il m'eut ouvert la porte me repoussa si fort que je ne voulus pas en voir davantage. Sous une lumière aveuglante, entre une forêt vierge en papier, un coin de port de mer en carton et une moitié de chambre à coucher de nouveau riche, parmi des ficelles, des planches qui se balançaient dans l'air, des poutrelles et des câbles électriques, un homme et une femme en tenues de soirée, aux visages graisseux d'emplâtres multicolores et ravinés de ruisseaux de sueur, faisaient et refaisaient sans arrêt le geste de se rencontrer par hasard et de se serrer la main. L'homme disait chaque fois : « bonjour, Mademoiselle » et la femme souriait d'un air gêné. Pendant ce temps, les quelques vingtaines de personnes qui assistaient à la scène retenaient leur souffle et essayaient de faire ce qu'ils appellent le silence. Chaque fois que la scène était finie, quelqu'un disait avec mauvaise humeur : « ce n'est pas encore cela, on recommence » ; chacun alors prenait un air très important et l'un entrait dans une cabine capitonnée, un autre grimpait à une échelle et braquait un projecteur, un autre avalait une citronnade, trois autres allaient coller leurs yeux aux ouvertures d'un cyclope de métal trapu, les uns en salopette, les autres en chemise de soie ou en pull-over, mais tous sérieux et agités

comme s'il y avait eu le feu. Le chef criait :
silence ! et l'on recommençait.

— Voilà huit jours que ça dure, me dit
l'infirmier. Ce monsieur n'arrive jamais à
dire « bonjour, Mademoiselle » avec le ton qui
convient. A la fin, on se contentera d'un à
peu près et l'on passera à la scène suivante.
On photographie et l'on phonographie tous
ces petits morceaux, on les colle bout à bout
et l'on projette dans une salle obscure, devant
un public avide et désarmé.

« Ces deux individus que vous avez vus,
continua-t-il en me tirant à l'écart, ainsi que
leurs innombrables collègues, se donnent le
nom d'acteurs. En bon langage médical, nous
les appelons au contraire des agis.

— Comment cela ? Qu'appelez-vous donc
acteur ?

— C'est vrai, j'oubliais. Vous êtes trop jeune
pour avoir connu cela. On appelait jadis
acteur un homme qui prêtait son corps à une
force, à un désir ou à une idée, c'est-à-dire,
comme on disait pour abréger, à un dieu qui
vivait par lui. Il savait appeler les dieux, il
savait les laisser couler dans son corps. Par
lui les dieux conversaient avec les hommes.
Ils dansaient ensemble, chantaient ensemble,
luttaient ensemble, parfois s'entre-dévoraient,
parfois banquetaient, enfin ils vivaient ensemble, les hommes et les dieux. L'acteur faisait

donc un métier pur et utile. Nos « agis » d'aujourd'hui traduisent : un métier purement utilitaire. Eux, ils sont désintéressés. Ils sont au service de l'Art ; vous savez ce que cela veut dire. Tandis que les acteurs prêtaient leurs corps aux dieux, aujourd'hui l'on fabrique des dieux sur mesure pour en revêtir les agis. A supposer qu'un agi soit bancal du cœur, bigle du cerveau, bossu de l'entendement, boiteux de la conscience et chauve du sens ironique, on demande à un Fabricateur de discours inutiles d'inventer un dieu doué des mêmes particularités. Alors on fait cadeau à l'agi de ce pauvre dieu fantôme, qui pourtant, dans bien des cas, est encore plus fort que lui. En se donnant un mal de chien savant, l'agi arrive plus ou moins à faire vivoter dans son semblant de corps ce semblant d'être. Le public crie au miracle, admire et paie.

— Mais pourquoi le public vient-il voir ces images mortes de manifestations mortes de dieux mort-nés ?

— D'abord parce que, dans l'obscurité de la salle à projections, il peut voir sans être vu, entendre sans répondre et contempler (sans risque, croit-il) des êtres fantastiques (qui finissent tout de même par le posséder). Ensuite parce qu'en les voyant il se donne l'illusion d'avoir vécu à bon marché toutes sortes de joies, de crimes, de sottises, de vices,

de vertus, de bonnes actions, de gestes héroï-
ques, de nobles sentiments et de petites lâche-
tés qu'il n'aurait jamais le courage de vivre
pour du bon.

— Drôle de plaisir. Se faire ainsi tripoter
les imaginations par des imitateurs de fantômes, dans une salle obscure...

— Voyons, voyons, ne faites pas le naïf.
Tout le monde aime cela. Même la pieuvre
aime qu'on la chatouille.

23

Tout en parlant, nous nous étions rappro-
chés du centre de la ville et nous nous trou-
vions maintenant dans les quartiers habités
par les Explicateurs.

Nous débouchâmes bientôt sur une place
circulaire pavée de mosaïque, illuminée par
des lampes à arc installées sur de hautes
maisons vitrées. Au centre, un transformateur
électrique de dix mètres de haut radiait ses
câbles tout autour. Nous nous étions à peine
engagés sur la place que par une autre rue, un
peu sur la gauche, surgit un fier vieillard, en
redingote et chapeau haut de forme, escorté

par une douzaine d'hommes en blouses blan-
ches qui portaient de petites valises.

— Ah ! quelle chance ! s'écria mon compagnon. Voici justement le Professeur Mumu.
Vous savez, celui qui s'est mis en tête de guérir les autres. Je vais vous confier à lui, car
vous ne sauriez avoir de meilleur guide dans
ces régions. Ecoutez-le respectueusement, mais
n'oubliez jamais, dans votre for intérieur,
que lui-même est dangereusement atteint par
une des formes les plus subtiles de la maladie.
Pendant ce temps, j'irai vérifier si toutes les
prescriptions hygiéniques sont bien observées
dans les églises. Je vous retrouverai dans
l'Olympe.

Et sur ces phrases énigmatiques il m'entraîna vers le Professeur, me présenta et s'éloigna à grandes enjambées.

24

— Jeune homme, déclara avec une condes-
cendance aimable la barbe blanche du Professeur Mumu, jeune homme, vous tombez bien.
Vous voulez visiter les Explicateurs, à ce qu'il
paraît ?

— Oui, mentis-je, car je songeais qu'un ou

deux litres de rouge auraient bien mieux fait mon affaire.

— Eh bien, je commençais justement ma tournée parmi eux ; suivez-moi, vous vous instruirez. Mais je dois vous donner d'abord quelques explications.

(« Ça y est, lui aussi » me dis-je, mais je fis semblant de tendre une oreille avide.)

— Les Explicateurs se rangent entre deux types extrêmes, les Scients et les Sophes. Les premiers cherchent à expliquer les choses, les seconds expliquent tout ce que les premiers ne parviennent pas à expliquer.

« Les Scients prétendent que leur nom vient du latin *scire, sciens,* de même que le mot science, et qu'il est synonyme de savants. En réalité, il s'apparente à *scier,* les Scients s'occupant principalement à tout scier, hacher, pulvériser et dissoudre. Les Sophes font venir leur nom de celui de Sophie, qui est leur déesse, célèbre par ses malheurs et ses avatars. On a prouvé qu'en fait le mot n'était qu'une corruption de « sauf », surnom que les sages leur donnaient jadis pour résumer certaines devises qu'on leur attribuait par dérision, telles que : « je sais tout, *sauf* que je ne sais rien », « je connais tout, *sauf* moi-même », « tout est périssable, *sauf* moi », « tout est dans tout, *sauf* moi », et ainsi de suite.

25

— Un lapin et de l'encre rouge ! cria soudain le Professeur en se tournant vers ses
assistants. L'un d'eux ouvrit sa valise et en
sortit par les oreilles un magnifique lapin
russe qui gigotait et grinçait des dents. Un
autre apporta un petit baquet de tôle et y
mélangea de l'eau avec une poudre rouge.
On immergea le lapin et on le sortit écarlate
du bain. On l'égoutta, et le Professeur le souleva à bout de bras par les oreilles.

— Qu'est-ce que je tiens là ? me demanda-
t-il.

— Un lapin teint en rouge.

— Non, jeune homme, non. Ce sont au
moins deux cents lapins rouges, comme vous
allez voir si vous suivez la bête dans toutes
les aventures qui vont lui arriver. Nous allons
bientôt pénétrer dans un établissement que j'ai
fait aménager pour mes études, sous un prétexte de philanthropie. Des Scients de toute
espèce y travaillent à la chaîne. Nous allons
leur livrer ce lapin rouge. Vous verrez que
chacun aura son lapin et qu'il restera peut-
être encore de quoi faire un civet.

Je me laissai conduire. Nous entrâmes dans

une galerie qui allongeait devant nous à perte
de vue une enfilade de tables de laboratoires.
Tous les dix ou douze pas, un Scient vêtu de
blanc attendait, armé ou d'un scalpel, ou d'une
balance, ou d'un chalumeau, ou d'un calo-
rimètre, ou d'un microscope, chacun enfin
avec son instrument particulier qu'il ne m'était
pas toujours possible de nommer.

— Ils sont à jeun, me dit le savant vieillard.
Ils n'ont encore rien eu à se mettre sous l'entendement de toute la journée. Vous allez les
voir à la fête.

Il monta sur un petit socle de marbre établi
près de l'entrée et, d'une voix claironnante, il
annonça :

— Messieurs, la chasse de Pan est ouverte !

On entendit un roulement de murmures de
satisfaction s'enfuir à perte d'oreille, refluer
doucement, s'éloigner encore, onduler, s'étaler,
s'apaiser et s'éteindre.

Dans la gravité du silence blanc, le Professeur Mumu jeta le lapin rouge sur la première
table.

26

Le premier Scient bondit sur la proie et fit
entendre un sifflement admiratif. Il mit l'ani-

mal au centre d'un petit labyrinthe aménagé sur le sol avec des planches, disposa sur son passage un brin d'herbe, un fil électrisé, une tasse de lait, un miroir et encore d'autres objets, et se mit à chronométrer les faits et gestes du lapin rouge. Puis il le passa à son voisin et se plongea dans l'étude de ses chrono-métrages.

Le deuxième Scient photographia le lapin sous tous les angles possibles.

Le troisième l'égorgea et enregistra ses cris au phonographe.

Le quatrième le ressuscita et nota sa tension artérielle.

Le cinquième le retua et recueillit une goutte de sang qu'il déposa dans un verre.

Le sixième le radioscopa.

Le septième lui coupa une tranche de poil qu'il plaça sous son microscope.

Le huitième le pesa et lui prit un fragment de cervelle.

Le neuvième le mesura dans toutes ses dimensions.

. . . .

Le quarante-sixième lui enleva le cœur qu'il fit revivre sur une soucoupe.

Le quarante-septième l'interrogea sur son histoire et sur ses ascendants et, n'ayant pas de réponse, il en improvisa lui-même.

. . . .

Le cent unième lui arracha les dents.

Le cent deuxième lui donna un nom abracadabrant.

Le cent troisième se mit à étudier l'étymologie et la sémantique de ce nom.

Le cent quatrième entreprit de compter les poils.

Le cent cinquième, impatienté, inventa une machine à compter les poils et la passa au cent sixième.

Le cent sixième démonta la machine et en transmit les pièces au suivant.

Le suivant remonta les pièces dans un autre ordre et chercha à quoi cette nouvelle machine pourrait servir.

Je n'eus pas le courage d'en voir plus long. J'étais surtout en rogne contre le Professeur Mumu.

— Il s'est moqué de moi. Il m'avait promis un civet. Maintenant, allez donc retrouver le lapin !

Mais je me fis entendre raison en me disant que je n'aimais pas beaucoup le lapin, surtout sans boire.

27

Le Professeur Mumu me rejoignit.

— Eh bien, me dit-il, ils l'ont eu, leur lapin rouge ! Mais il faut surtout les voir quand on leur donne un homme, à ces faillis cannibales. D'un seul homme ils en font mille : *homo œconomicus, homo politicus, homo physico-chimicus, homo endocrinus, homo squeletticus, homo emotivus, homo percipiens, homo libidinosus, homo peregrinans, homo ridens, homo ratiocinans, homo artifex, homo aestheticus, homo religiosus, homo sapiens, homo historicus, homo ethnographicus* et encore bien d'autres. Mais au bout de la chaîne de mon laboratoire est installé un Scient unique en son genre. Trois mille cerveaux en un seul. Sa fonction est de rassembler toutes les observations et toutes les explications couchées par écrit par les Scients spécialisés. En ayant fait la somme, il est persuadé qu'il tient dans son entendement le lapin rouge ou l'homme total et essentiel. D'ailleurs, vous pouvez le voir d'ici », acheva-t-il en faisant signe à un de ses assistants qui m'apporta une paire de jumelles.

Par la lorgnette, je vis en effet, à l'extrême

bout de la galerie, l'Omniscient. C'était un globe crânien énorme avec un petit visage amorphe et chiffonné, qui me parut accroché par les oreilles aux deux boules d'ébène surmontant le dossier d'un trône élevé. Pendeloquant sous la tête, un petit pantin d'étoffe laissait traîner des pantalons vides sur le velours cramoisi du siège. Le petit bras droit était maintenu levé par un fil de fer et l'index s'appuyait sur la tempe dans le signe du savoir. Au-dessus du trône courait une banderole portant cette inscription :

JE SAIS TOUT, MAIS JE N'Y COMPRENDS RIEN

Saisi de respect et d'effroi, je posai vite les jumelles et demandai au Professeur :

— Mais l'homme lui-même, que devient-il après cet examen ?

— L'homme lui-même, comme le lapin rouge tout à l'heure, est toujours, en cours de route, oublié dans une boîte à ordures.

28

— Mais somme toute, dis-je au Professeur Mumu, ces Scients que vous m'avez montrés sont fort peu différents de ce que dans notre langue nous appelons des savants.

Il me regarda d'un œil apitoyé et me répondit fort pertinemment :

— Jeune homme, c'est tout le contraire et vous vous fiez trop aux apparences. Le savant fait œuvre utile. De toutes ses hypothèses que l'expérience a vérifiées, il ne conserve que celles qui peuvent servir à son bien et à celui des autres. Le Scient, au contraire, recherche la vérité pure, comme il dit, c'est-à-dire celle qui n'a pas besoin d'être vécue. Peu lui importe, s'il a fait une découverte, qu'on l'applique à la fabrication de gaz asphyxiants ou à la guérison d'une maladie, à la diffusion des poisons intellectuels ou à l'éducation des enfants. C'est une première différence. En voici une deuxième. Le savant ne croit qu'à ce qu'il a expérimenté et n'affirme que ce qu'il est capable de faire expérimenter à autrui. Le Scient, lui, n'applique la méthode expérimentale qu'aux objets matériels exclusivement. Quelques Scients prétendent bien étudier expérimentalement la pensée ; mais comme ils ne savent expérimenter qu'avec la règle et la balance, ils tiennent tout au plus entre leurs instruments les déchets et les traces matérielles de la pensée : paroles, gestes, objets fabriqués, remuements des entrailles. Ce qu'ils appellent pensée, c'est l'image d'un

front plissé et d'un sourcil crispé ; volonté,
c'est une mâchoire serrée et un coup de poing
sur la table ; émotion, un certain désordre des
mouvements du cœur et des poumons. Troi-
sièmement, le vrai savant subordonne toujours le savoir à la connaissance et il main-
tient que le premier objet à connaître est le
plus proche, le plus accessible sous toutes ses
faces et le plus constamment présent ; le
Scient, à l'opposé, part de l'objet le plus
éloigné, atome ou étoile, nombre ou figure
abstraite, et ne franchit jamais la limite qui
sépare autrui de lui-même. Bien plus, le
Scient s'éclipse autant qu'il peut, et fièrement,
au profit du lointain. Il accuse d'orgueil le
savant, lui reprochant de se tenir pour le
centre de tout. Il croit d'une foi aveugle et il
fait enseigner aux petits enfants dans les
écoles que chaque homme est un petit tas de
colloïdes emporté par un globe pâteux dans
un tourbillon dont le centre lui-même vire-
volte autour d'un point imaginaire et mobile,
dans les immensités courbes d'un espace rela-
tif. Le Scient est d'autant plus content qu'il se
décentre et décentre les autres davantage.

« Autrement dit, le savant mesure toutes
choses à l'étalon fixe qu'il porte en lui, tandis
que le Scient mesure les choses les unes par
les autres ; c'est d'ailleurs parce que les choses ne se mesurent pas entre elles qu'il est

obligé, pour leur trouver une commune mesure, de les découper, de les *scier* en fragments infinitésimaux, d'où son nom.

« Vous voyez comme vous étiez loin du compte. »

29

Certes, il avait raison et je commençais à me demander si l'infirmier ne s'était pas trompé et si le Professeur Mumu n'était pas un homme sain. Je lui posai une question pour m'en assurer :

— Monsieur le Professeur, vous m'avez assez édifié. Mais je serais heureux si vous pouviez me citer un exemple d'un savant au sens où vous l'entendez.

— Je n'en connais qu'un exemple contemporain, dit-il ; c'est moi. Mais j'ai découvert un sérum qui guérira tous les Scients. Je ne dis pas que tous deviendront des savants, mais je n'aurai de cesse que je n'aie fait périr jusqu'au dernier microbe du scientisme.

J'étais fixé. L'infirmier n'avait pas menti. Mais, intrigué, je demandai :

— Est-ce donc une maladie microbienne ?

— Oui, et le microbe ne date pas d'hier. Ce protozoaire pullulait dans l'arbre de science. Il passa dans le sang de nos premiers aïeux dès la faute originelle. Contre le microbe, il n'y a qu'un remède radical : la sève de l'arbre de vie. Adam n'avait pas voulu y toucher : « on ne m'y prendra pas deux fois », disait-il. Mais comment se la procurer ? C'est au bout de dix ans de recherches que j'eus une illumination. Le sérum que je cherchais existait bel et bien depuis des temps immémoriaux ; des spécialistes en fabriquaient chaque jour et l'on pourrait, dès qu'on le voudrait, en produire à peu près pour rien des quantités industrielles. Vous avez deviné, je suppose, à quel liquide banal je fais allusion.

Je me disais : « veut-il dire le vin ? Mais si c'est cela, alors il n'est pas malade ! Pourtant je ne l'ai pas encore vu boire et, somme toute, mieux vaut être prudent ; quitte à passer pour un imbécile, ne prononçons pas un mot aussi dangereux. » Je pris donc un air interrogatif et le Professeur me dit avec une pitié triomphale :

— L'eau bénite, jeune homme ; l'eau bénite ! Elle se fabrique aujourd'hui par foudres dans des laboratoires que je vous ferai visiter, si vous le voulez, dans un instant. L'eau bénite en injections intra-veineuses guérit en quelques semaines le Scient le plus contaminé. Elle réconcilie la science et la foi. Voici comment marche la cure dans les cas les plus favorables : dès la première inoculation, le Scient admet la réalité des miracles de Lourdes. A la deuxième, il voit apparaître la Sainte Vierge. A la troisième, il reconnaît l'infaillibilité pontificale. A la quatrième, il va se confesser et communier. A la cinquième, l'espérance parle en lui : « tu iras au Paradis ». A la sixième, la charité parle en lui : « tu inoculeras ton prochain comme tu fus inoculé toi-même ». A la septième, la foi parle en lui : « ne cherche plus à comprendre ». A ce moment, je prétends qu'il est guéri. Malheureusement l'Administration, encore enténébrée de grossières superstitions matérialistes, se refuse à reconnaître l'efficacité de ma cure et, tout en les entourant de soins et d'honneurs, elle tient enfermés ici mes guéris. Il est vrai que ceux-ci ne tiennent pas à s'en aller. Ils veulent rester pour aider à la guérison de leurs frères et sœurs, et quelques-uns sont devenus des fabricateurs d'eau bénite, guéris guérissant, curés curant.

« J'ai guéri aussi d'autres catégories de malades. C'est ainsi que de nombreux compositeurs de discours inutiles, abandonnant leurs exercices stériles, ont mis leur talent au service de leurs semblables et des êtres supérieurs. D'aucuns chantent les louanges de l'eau bénite, d'autres glorifient leur race ou leur nation, exaltent les vertus guerrières, l'héroïsme obscur du policier, l'abnégation du missionnaire, l'esprit d'entreprise de l'homme d'affaires, la puissance de la résignation et le bonheur de ne rien posséder.

« Mais il faut voir surtout ce qu'ils ont fait, sous ma direction, pour l'éducation des enfants.

30

— Vous avez donc des écoles, ici ? demandai-je.

— Bien sûr. Il y a ici des hommes et des femmes. Ils forment des couples. Des enfants naissent. Il faut les mettre à l'abri de la contamination à laquelle leur hérédité les expose trop souvent. Aujourd'hui la plupart des enfants sont, dès leurs premiers jours, aspergés d'eau bénite et cette simple précaution suffit parfois à les immuniser. Mais nous n'en restons pas là. Nous avons complètement refait les vieux systèmes pédagogiques. Quatre équipes d'instructeurs s'occupent respectivement de l'éducation physique, de l'éducation artistique, de l'éducation scientifique et de l'éducation religieuse. Les premiers ont rendu au corps sa place et ses droits. Un quart de la journée de l'enfant est en effet consacré à l'étude des traités de gymnastique, des manuels de tous les sports et des Mémoires des grands champions, rédigés en vers mnémoniques et accompagnés de nombreuses illustrations. Ainsi l'enfant le plus malingre, au bout de deux ans, sans fatigue et sans perte de temps, sait tout ce qui est à savoir sur la culture physique.

« Nous avons fait les mêmes réformes dans les autres branches. Grâce au cinéma, au phonographe, aux musées et surtout au livre illustré, nos écoliers ont vite fait de tout savoir sur l'art sans avoir à créer, de tout savoir sur la science sans avoir à penser, de tout savoir sur la religion sans avoir à vivre. Mais n'aurions-nous pas les inventions de la science moderne, que le livre à lui seul aurait pu accomplir ce miracle.

— Oui, interrompis-je (car je ne voyais pas quand il allait se taire), oui, comme me le disait hier Philippe L. : « Qu'est-ce qu'on recherche dans un livre ? C'est un maître de poche : tous les avantages du maître sans en avoir les inconvénients. »

— Vous m'avez saisi, dit le vieux raseur.

Et il me parla longuement d'un gros livre qu'il était très fier d'avoir écrit lui-même sur *Les méfaits du psittacisme*, que tous les écoliers étaient tenus d'apprendre par cœur.

31

Je parvins à m'esquiver sous un prétexte trivial. Avec un pareil guide, toujours en train de parler et d'expliquer, je ne pouvais rien voir de mes yeux. Or, je voulais observer les Sophes en toute tranquillité : ainsi ai-je pu rester parmi eux assez longtemps, apprenant leur langage et conversant avec les meilleurs d'entre eux.

Vous allez me dire que toutes ces explorations, ces mondes et ces aventures, dans les étroites limites d'un grenier et de quelques heures, c'est peu vraisemblable. D'accord. Mais après une longue soirée de beuverie et de soif, tout est possible. D'ailleurs, quoi ? Il y a à peine deux heures que je vous parle. Une histoire de dix ans peut tenir en dix minutes de parole. Dix minutes de parole peuvent tenir en un instant de pensée. Une tragédie de Racine tient en vingt-quatre heures, qui tiennent en une heure de lecture, qui se résume parfois dans le temps d'un sanglot.

J'aurais aimé tout vous dire entre deux phrases. Mais je ne suis pas de force et je reconnaîtrai votre patience en abrégeant.

Mon infirmier m'avait recommandé de ne pas quitter le quartier des Scients sans rendre visite à leurs Epurateurs de Comptes. « Mais méfiez-vous de ces sirènes intellectuelles ! » m'avait-il dit, et cette mise en garde n'était pas superflue. Ces êtres quasi surhumains ont pour fonction de recueillir les résultats des recherches de tous les Scients et de les purger de tout contenu sensible afin de les réduire en nombres, figures et opérations de pure pensée ; d'où, par simplification, élimination, reconstruction, transposition, raisonnement, ils élaborent des lois de diamant auxquelles les Scients se plieront avec humilité et reconnaissance. Ils parlent une langue merveilleuse, agencée de telle manière que le faux ou le vague ne peuvent pas y trouver d'expression : ce qui leur permet, ayant trouvé une vérité, de la dire et d'en tirer les conséquences sans avoir à penser davantage.

Jusque-là, rien ne les différencierait de ces êtres, humains par le corps et, dirait-on, divins par l'intellect, que nous honorons du nom de mathématiciens. Mais les Epurateurs de Comptes ne sont pas plus de vrais mathématiciens que les Scients ne sont de vrais savants. Ils se font remarquer d'abord par leur extraordinaire faculté de parler durant de longues heures, dans un ravissement visible et sans montrer le moindre signe de fatigue, sans jamais rien dire, sans jamais parler de rien, mais avec une rigueur logique et une aisance telles qu'il est bien difficile au cerveau le plus inerte de résister à l'enchantement de leur langage cristallin.

Surtout, ils diffèrent des mathématiciens en ce qu'ils considèrent leurs fonctions d'épurateurs de comptes et de législateurs de l'expression comme des fonctions viles et serviles, dont on s'acquitte rapidement lorsqu'on y est forcé, et qui doivent céder le pas à un travail, disent-ils, beaucoup plus noble et désintéressé. Déformant un mot d'un de nos contemporains, ils ont pris pour devise : « nous ne voulons parler de rien ». Leur pierre philosophale, leur Grand Œuvre, qui n'est jamais atteint et qui domine toute leur recherche, c'est le Système parfait qui ne s'appliquerait à aucune expérience humaine, qui resterait éminemment inutilisable. Mais ce but, comme tout but désintéressé, s'éloigne d'eux à chaque pas qu'ils font pour s'en rapprocher : inventent-ils des nombres inchiffrables, des espaces en forme d'espalier ou de tire-bouchon, des géométries à nombre de dimensions variables, des étendues à trous et à bosses, des essences discontinues, il se trouve toujours, un jour ou l'autre, un Scient pour découvrir que ces constructions arbitraires rendent compte très précisément de phénomènes encore inexpli-

qués du monde physique. Car la Mathématique et la Poésie ont ceci de commun qu'elles
conservent leur vertu incorruptible alors même
qu'elles s'expriment par la bouche d'un homme
inconscient ; en ce cas, elles se pensent par lui,
et lui n'est alors qu'un possédé, un maniaque,
un inspiré, comme dit Socrate du poète dans
l'*Ion*.

Je faillis, ai-je dit, me laisser séduire par
ces sirènes intellectuelles, mais tout particu-
lièrement par l'une d'elles, un jeune homme
d'une grande agilité de cerveau et au corps
presque rendu transparent par l'oubli où son
locataire le laissait. Voici, réduite à ses grandes lignes, la théorie qu'il avait conçue :

« Si la science mathématique n'arrive pas
à s'arracher définitivement au monde sensible, c'est qu'elle oublie de pousser à ses dernières conséquences la grande remarque
d'Einstein (ou de Hegel, peut-être), que l'objet
connu est modifié par l'acte de connaître. Tout
système mathématique doit donc intégrer non
seulement l'espace, avec ses trois dimensions
non orientées, et le temps, avec son unique
direction, mais aussi la conscience, avec ses
deux directions opposées : être et non-être,
ou encore conscience et inconscience, ou encore création et mécanisme ; c'est donc dans
un *continuum* à trois dimensions et trois directions qu'il faut inscrire le monde sensible

afin de le réduire à rien par la puissance dissolvante de l'abstraction.

« Le premier travail était de donner une expression numérique aux deux directions de la conscience. Or — et comment n'y avait-on pas pensé plus tôt ? — il existe deux séries de nombres entiers : la série mécanique, répétitive ou additive, obtenue par addition répétée de l'unité : 1, 2, 3, 4, 5... — série qui peut être produite sans aucune pensée, par une machine à calculer, par exemple ; et la série constructive des nombres dont l'inter-multiplication produit tous les autres et qui ne peuvent eux-mêmes être produits par multiplication, nombres dont chacun est un fait absolument nouveau, imprévisible, et que l'on nomme fort justement « premiers » ; cette série, 1, 2, 3, 5, 7, 11, 13..., ne peut être produite que par l'action d'une pensée ; aucune machine ne pourra jamais fournir une série indéfinie de nombres premiers.

« C'est donc dans un système de coordonnées rectangulaires, portant en abscisses la série des nombres entiers 1, 2, 3, 4, 5... ou série mécanique, et en ordonnées la série des nombres premiers 1, 2, 3, 5, 7, 11... ou série créatrice, que l'activité de la conscience va inscrire ses courbes de variations. Ces courbes, à leur tour, vont se composer avec les autres coordonnées de notre *continuum,* où

elles dessineront la figure véritable des phénomènes, telle qu'elle résulte de l'action réciproque du connaissant et du connu. »

C'était d'une logique irréprochable et, si je
m'étais contenté d'écouter avec les oreilles de
mon intellect, j'aurais sûrement été enchanté
à tout jamais par le discours de la sirène.
Mais, me souvenant des compagnons d'Ulysse,
je me fourrai dans ces oreilles-là d'épais tam-
pons de bon sens et, tendant une autre oreille
— l'oreille de confiance, la bonne — je n'entendis que le bourdonnement du silence. Mon
prétendu mathématicien ne pensait pas ; même
pas quand il récitait la série des nombres premiers, qu'il savait par cœur jusqu'à 101. (Mais
est-ce bien « par cœur » qu'il faut dire ?
Allons, tant pis, l'expression est trop bien passée dans l'usage.)

32

Entre les laboratoires des Scients et les
retraites des Sophes vont et viennent des
Explicateurs ambigus, repoussés tour à tour
par les uns et les autres. Ils flattent les Scients
en arborant la règle et la balance et les
Sophes en affichant le mépris de l'immédiat

et du proche. Certains, dont m'avait parlé le Professeur Mumu, se donnent le titre de Psychographes ; le mot vient de *psyché*, sorte de grand miroir basculant, grâce auquel ils observent sans être vus. Le dictionnaire de poche que l'infirmier m'avait laissé définissait la « psychographie » comme la « science des résidus de la pensée d'autrui » et la « pensée » comme « tout ce qui, dans l'homme, n'a pas encore été pesé, compté et mesuré ». Aussi, pour gagner les bonnes grâces des Scients, les Psychographes cherchent les traces de la « pensée » partout où la pensée fait le plus défaut, ou du moins partout où ils croient qu'elle fait défaut, chez les enfants, chez les fous et jusque chez les animaux. L'être humain adulte et normal ne les intéresse guère, parce qu'il faut le faire pour le connaître et qu'ils veulent rester de « purs spéculateurs ».

C'est comme les Politologues et les Anthropographes qui, dans la paix de leurs cabinets, étudient, au travers des récits des explorateurs, des missionnaires et des historiens, les sociétés lointaines ou passées : Papous, Iroquois, Aruntas, Hittites, Accadiens, Archéosuisses, Sumériens, Hottentots, Proto-belges ou autres. De la société où ils vivent, ils ne parlent guère ; ils la souffrent ou en profitent car « autrement, disent-il, nous deviendrions des politiciens ». De la société humaine adulte et normale, ils ne se soucient pas, car il faudrait la faire pour la connaître et seule la « vérité pure » les intéresse.

D'autres, les Philophasistes, étudient les langages des pays étrangers et des époques passées, sans être capables de parler ni même d'écrire efficacement leur propre langue. Car la langue, il faut la faire ; or, ils prétendent être de « purs savants » et non pas des artisans.

D'autres dissertent sur les objets inutiles et leur nom ressemble à un éternuement. Les Esthétchiens discourent avec peine sur les productions des autres ; eux-mêmes ne créent rien, car ils vivent dans le domaine de la « connaissance pure ».

33

Je me suis ennuyé chez tous ces gens. Plus amusants m'ont paru les Logologues, c'est-à-dire Explicateurs d'explications, qui s'ingéniaient à décortiquer les propos des autres pour en extraire une vérité inutile et sans corps. La première conversation que j'eus avec l'un d'eux vaut la peine d'être rapportée. Je l'aperçus par une fenêtre à demi ouverte, assis à sa table de travail devant des machines à calculer très compliquées, les pieds dans un baquet d'eau chaude et un morceau de glace maintenu sur la tête par des bandages. On venait d'allumer au coin de la rue un nouveau réverbère et de mettre en marche un puissant ventilateur. Aussi me sembla-t-il de circonstance de lui crier :

— Beau temps, hein ?

— Un moment, dit-il en relevant la tête.

Puis, après une minute de réflexion :

— Voici comme il faut dire : tout beau temps est agréable. Or le temps présent est un beau temps. Donc le temps présent est agréable. Syllogisme en *Barbara* : concluant. En effet, Monsieur, vous aviez raison. Beau temps !

Nous étions désormais amis. Il reprit :

— Mais pour élever votre proposition au rang de loi universelle, il me faudrait faire quelques calculs. Revenez donc dans un quart d'heure.

Il se mit à une de ses machines, j'allai me reposer sous un kiosque à musique et je revins. Il me tendit un cahier de feuilles dactylographiées dont je vais vous faire voir la première :

temps : T   *temps présent* : Tp
beau : b *agréable* : a
Moi : M   *(négation)* :′

PROPOSITION :

$(T = b > a/M) (Tp = b) > Tp = a/M + a/M'$

POSTULAT :

La politesse (p) exige l'affirmation d'une communauté de nature entre les sujets sous le rapport qui nous intéresse, ou :

$$p(M + M') > (a/M = a/M').$$

DÉMONSTRATION :

$$T > (T \times M) (T \times M')$$

et

$$(b = a)/M + (b = a)/M' < p(M + M')$$

Donc :

$(Tp = b) > Tp(M = p) \times Tp(M' + M) \times a \times p$
$a \times M' = (p \times M) (a/M)$

et, en vertu de l'absurdité de :

$$(b = b') > (M = M') \times p'$$

et de :

$$p' \geqslant 1 \times aM,$$

on a :

$(Tp = b) = a \times M' = 1 \times (p \times p') \times (Tp.a + M.p)...$

Il y en avait cinq pages comme cela. Je fis semblant de les lire et le Logologue me dit :

— N'importe qui aurait donc eu raison de parler comme vous l'avez fait et je me réjouis avec vous, d'une joie logique et démontrée, qu'il fasse beau.

Entre-temps, à cause d'un plomb sauté, le réverbère s'était éteint, le ventilateur s'était arrêté, et d'ailleurs il n'avait jamais fait beau, j'avais dit cela histoire de parler, mais je ne voulus pas le contredire. Je lui gardai un peu de rancune parce qu'il m'avait assimilé à « n'importe qui » ; ce n'est pas pour me vanter, bien au contraire, mais je ne suis pas « n'importe qui ». Mais, dans un certain sens, la vérité des Logologues est bien la vérité de n'importe qui.

34

Les Sophes proprement dits sont des voyageurs imaginaires en quête de leur déesse Sophie. Incrustés dans des fauteuils, ils passent ce qu'ils appellent leur vie à des travaux et des plaisirs cartographiques. L'un d'eux me raconta sa carrière dont je vais vous donner un aperçu.

Au sortir de l'adolescence, au moment de mettre les pieds dans le plat, il eut peur et rentra dans sa coquille. Au fond de sa coquille il s'empêtra dans des souvenirs d'enfance parmi lesquels luisait l'image émouvante et indistincte de la malheureuse Sophie. Ne se sentant pas observé, il n'éprouva aucune honte à se jurer que « Sophie, il l'aurait ». Mais d'abord il fallait se faire d'elle une image plus précise. Il lui donna tous les traits dont il était dépourvu. Il était poltron et malingre, elle fut puissante et sereine. Il était borné et maladroit, elle fut infinie et pleine de grâce. Alors il s'installa à sa table de travail et se fit apporter tous les documents laissés au cours des siècles par les chercheurs de Sophie. Pendant des années il voyagea sur place, suivant du crayon, sur les cartes, les trajets suivis par ses prédécesseurs. A la fin, parvenu aux Terres Inconnues et aux Mers des Ténèbres, il se dit : « A moi de reprendre la boussole et le sextant. » Et il se mit lui-même à inventer des contrées dont il dressait les cartes, qu'il prenait ensuite un grand plaisir à parcourir à la loupe. Je vous raconte l'histoire à ma façon. Lui-même était persuadé qu'il avait réellement fait tous ces voyages et qu'il touchait au but.

D'autres se croyaient arrivés et enseignaient à leurs disciples l'art des pérégrinations en chambre close. Tel qui était aveugle parlait du teint resplendissant de Sophie. Tel autre qui se bouchait de coton les oreilles disait entendre sa voix mélodieuse. Tel autre, qui ne savait même pas mentir, parlait de la Vérité. Tous, par un calembour involontaire, se disaient philosophes ; beaucoup même se croyaient des sages et quelques-uns avaient vraiment des têtes de sages mal vissées sur des épaules de nouveau-nés.

35

Auprès des Sophes et mal vue d'eux une petite compagnie d'internés se groupait autour d'un jeune homme du Tibet qu'ils regardaient comme leur maître. Cet Asiatique était connu sous le nom de Nakiñtchanamoûrti, ce qui veut dire en langue sanscroutane « Incarnation-de-rien-du-tout ». J'eus l'occasion de le voir. Il ne me parut pas malade, peut-être seulement un peu trop doux de caractère, et je soupçonne qu'il était retenu là contre son gré par des machinations de ses soi-disant disciples. Ceux-ci le regardaient comme le dépositaire de toute sagesse et il leur répondait :

— Fichez-moi la paix. Je n'ai rien à vous apprendre. Allez-vous-en. Que chacun cherche pour soi », et d'autres paroles également sensées.

Mais les disciples, et spécialement les femmes, ouvraient de grands yeux, prenaient un air inspiré et interprétaient les paroles du Maître dans ce qu'ils appelaient un sens ésotérique. Il fallait entendre par ce mot, nous apprenait notre dictionnaire de poche, « un sens caché et flatteur que l'on imagine sous des paroles désagréables afin de pouvoir les supporter ».

— Examinez bien, disait une vieille, la première phrase que le Maître a prononcée : « fichez-moi la paix ». Quatre mots : c'est le tétragramme cabbalistique, le sacré quaternaire du Bouddha-gourou, que les Grecs prononçaient Puthagoras. « Fichez » est, selon la grammaire (qui fut jadis une science sacrée), à la deuxième personne. « Moi », c'est la première personne et l'article « la » indique la troisième : image de la trinité. Remarquez d'ailleurs que « fichez », deuxième personne, a deux syllabes et que le Maître commence par la deuxième personne et non par la première, pour signifier que notre point de départ, à nous humains, est dans la dualité et dans la lutte. Ensuite vient la première personne, c'est-à-dire que nous nous élevons à la notion du « moi » qui surmonte la dualité. Enfin, avec l'article « la » qui contient deux lettres en une seule syllabe, nous dépassons l'illusion du moi pour nous identifier à la réalité impersonnelle. Le quatrième mot « paix », qui n'est plus soumis à la division trinitaire, désigne bien l'état qui est atteint lorsqu'on a parcouru les trois stades précédents. Bien d'autres arcanes sont encore contenus dans ces quatre mots, mais ils ne sont accessibles qu'aux initiés. Tout est dit dans cette simple phrase. Seul un dieu peut parler ainsi.

Puis elle passait à la phrase suivante et ainsi faisait-elle de chaque parole que le maître malgré lui prononçait, à l'émerveillement général des disciples dont le malheureux Tibétain n'arrivait plus à se dépêtrer.

36

Je n'avais pas grandes peines à me guider. Il me suffisait de marcher vers la cathédrale, dont la flèche en carton-pâte dressait ses six cents mètres de hauteur vers les combles. Mais on n'y arrivait pas tout droit. Il me fallut traverser des quartiers encombrés de chapelles, de calvaires, d'églises, de mausolées, de basiliques, de pagodes, de dagops, de stoûpas, de mosquées, de synagogues, de mâts totémiques, de mastabas — tout cela en faux, bien entendu — entre lesquels circulait une mascarade de gens déguisés en prêtres de tous les cultes possibles. Les uns accomplissaient des rites sans les comprendre et les autres expliquaient les rites sans les exécuter. Les uns disaient de sages paroles en des langues inintelligibles, les autres disaient des stupidités dans la langue populaire.

C'est dans ce quartier que s'élevaient les fabriques d'eau bénite dont le Professeur Mumu m'avait parlé. La préparation du liquide est fort simple. Quelques paroles magiques et quelques gestes devant une quantité quelconque d'eau ordinaire et la voilà transmuée. Il faut, il est vrai, porter pour cela une robe spéciale et s'être fait raser un petit cercle de cuir chevelu. L'eau est ensuite versée dans des espèces d'abreuvoirs minuscules scellés à l'entrée de certains édifices et les malades peuvent venir y tremper leurs doigts et s'en imbiber certains points du corps. Même à travers les vêtements, paraît-il, le liquide finit par agir.

Dans les mêmes édifices, des foules se réunissent périodiquement pour chanter et glorifier le nom du Seigneur. C'est le *nom* du Seigneur qu'elles glorifient, et non pas le Seigneur lui-même, car il y a autant (et même plus) de seigneurs que de fidèles et ils n'ont en commun que le nom. Le rite principal s'appelle la *plière* ; ils prononcent *prière*, mais c'est à peu près le contraire de ce que l'on appelait jadis de ce nom. *Plier*, en effet, (le mot est assez clair), signifie fléchir, des jambes et des bras, pour se poser sur les genoux ; quelques-uns, lorsqu'ils plient en public, portent des bandes de feutre secrètement enroulées autour des genoux, car il est mal vu d'apporter des coussins. Ensuite, on joint les mains d'une façon quelconque, on soupire, on se tortille, on prend un air attristé, ou contrit, ou inspiré, et l'on balbultie des mots peu intelligibles tout en jetant, de temps en temps, des regards en dessous à ses voisins, parce que les voisins reniflent ou sont trop bien habillés ou ont une meilleure place ou qu'ils ne sont pas des habitués de l'endroit.

De temps à autre de jeunes garçons essaient, par des fumées aromatiques, de déguiser l'odeur fétide qui se dégage de la foule. Ils n'y réussissent pas et, à la fin, le directeur de la cérémonie congédie tout le monde en prononçant trois mots latins qui signifient littéralement : « Allez, elle a été envoyée. » J'ai demandé à deux fabricants d'eau bénite de me dire *qui* avait été envoyée. Cela a mal tourné. L'un disait :

— Qui ? Mais la bonne nouvelle, parbleu !

— Quoi ? reprit vivement l'autre. Cela frise l'hérésie, mon cher. Notre latin n'est pas celui de Cicéron et *missa* est attesté comme substantif dès avant les Pères.

Le premier riposta par une citation de Tertullien et, oubliant ma présence, ils engagèrent un duel féroce à la bulle pontificale ; c'est une arme magique dont un seul coup, bien assené, peut enlever à un fabricant d'eau bénite sa robe noire et son gagne-pain pour de nombreuses années.

37

Les alentours abondaient en Sophes de toutes espèces. Parmi eux étaient fort à la mode les Astromanciens, Idyllomanciens, Chirologues, Iridomanciens, Borborygmomanciens, Astragalomanciens, Molybdomanciens, Fritillistes, Rhabdologues, tous habiles à dire le passé et l'avenir et à escamoter le présent. Comme j'allais, par curiosité, livrer ma date de naissance à l'un de ces divinateurs, la voix du Professeur Mumu me fit retourner.

— Vous perdez votre temps, disait-il. Ils sont trop nombreux. Mais, comme j'ai fait pour les Scients, j'ai groupé les meilleurs Manciens de notre époque dans un Institut où ils travaillent à la chaîne. Le client y est examiné tour à tour par des spécialistes des

conjonctions astrales, des tarots, des lignes de
la main, des marques de la prunelle, des bruits
intestinaux, des osselets, des larmes de plomb
fondu, des dés, de la baguette, de tous les
moyens, enfin, que l'homme emploie pour
savoir sans voir ni être vu, comprendre sans
prendre ni donner, connaître sans naître ni
mourir. Et comme tous ces gens vivotent par
ces pensées : « *moi, je* sais les secrets qui déli-
vrent du déterminisme universel... tout est
soumis à la nécessité, mais *moi je* suis initié
à une réalité supérieure... l'homme est plongé
dans les ténèbres de l'ignorance, mais *moi je*
suis dans le secret des dieux... *moi je* sais...
moi je peux... *moi je* fais... *moi je* suis d'une
nature transcendante... », à cause de cela nous
leur avons donné le nom générique de *Moijes,*
Moijiciens, et à leur occupation celui de *Moi-*
jie ; mots qu'eux-mêmes, sans les comprendre,
ont repris à leur compte, les déformant un peu
en *Mages, Magiciens* et *Magie.* Si vous voulez
me suivre...

— Merci, lui dis-je avec effroi. Je ne veux
rien savoir que je n'aie payé pour savoir.
D'ailleurs je suis bien certain qu'ici comme
chez les Scients je serais oublié en chemin
dans une poubelle.

— Vous êtes trop perspicace pour être hon-
nête. Mais vous ignorez une chose, c'est que
j'ai installé ici un Abyssologue, comme nous

appelons les inspecteurs attitrés de poubelles.
Venez au moins le voir pratiquer.

38

J'y allai. L'examinateur de poubelles se
tenait dans un cabinet retiré, étouffé de ten-
tures lourdes et à peine éclairé de veilleuses.
Debout au chevet d'un patient, il lui disait :

— Installez-vous à votre aise sur le divan.
Fermez les yeux. Détendez-vous. Ne pensez
à rien. Laissez-vous aller à cette demi-somnolence. Et vous me direz tout ce qui vous
passe par la tête, sans réserve, sans choisir,
sans juger. Donnez-vous le temps.

Cinq minutes se passèrent en silence et
l'homme allongé dit :

— Ce qu'il fait chaud, ici. » Et il se passa
la main sur le front. L'examinateur prit des
notes sur un carnet et demanda :

— Dans votre enfance, aviez-vous parfois
trop chaud ?

— Cela arrivait. Par exemple, quand j'ai eu
la rougeole. J'avais un édredon et ma mère
mettait une bouillotte dans mon lit.

— C'était désagréable ?

— D'abord, ça brûlait les pieds. Puis cela devenait agréable.

— C'était toujours votre mère qui apportait la bouillotte ?

— Oui. Ah, une fois, pourtant, c'était ma sœur. Mais elle l'avait mal bouchée et l'eau s'est répandue.

— Oh Oh ! » murmura l'examinateur d'un ton de triomphe rentré. Il écrivit rapidement quelque chose et dit :

— Vous arrive-t-il parfois d'oublier votre parapluie quelque part ?

— Non, je ne me sers pas de cet instrument encombrant et peu efficace.

— Tiens, tiens. Monsieur votre père usait-il d'un parapluie ?

— Oui. C'était d'ailleurs un homme comme il faut.

L'Abyssologue nota encore quelque chose et se remit à interroger. Je ne voyais pas où il voulait en venir. Je trouvais assez répugnant qu'un homme s'abaissât ainsi et s'abêtît volontiers devant un autre que recommandaient seulement le titre et le prestige. Le Professeur Mumu me reprocha ma naïveté et m'expliqua que le malade interrogé était, en intentions au moins, un criminel dangereux et que s'il avait été moins poltron dans sa jeunesse il aurait mutilé son père, outragé sa mère, horrifié sa sœur et scandalisé son oncle de la

façon la plus abominable ; mais que ses aveux
voilés allaient le guérir de ses velléités per-
verses qui se changeraient en objets artifi-
cieux et charmants parmi lesquels nous mar-
cherions bientôt, car la réciproque du pro-
verbe était vraie, que le Paradis est décoré
de mauvaises intentions.

39

Une question vieille comme le monde me
vint à l'esprit et je voulus la tirer au clair
avant de visiter la demeure des dieux. J'inter-
rogeai le Professeur.

— Comment ce monde ne s'emplit-il pas ?
Comment s'en va le surplus ? Car, puisqu'ils
ne vivent pas vraiment, ils ne sauraient mourir.

— C'est bien à quoi nous avons songé. Puisque vous m'avez posé la question, je vous
répondrai. Mais que cela reste entre nous.

Il me fit asseoir sous un arbre de laiton et
commença :

— Il faut en effet organiser la mort, sans
quoi la vie ne serait qu'un perpétuel cercle
vicieux. Quelques malades, il est vrai, finissent par mourir de leur maladie, surtout

parmi ceux qui ont été apportés ici étant adultes ; on voit de temps en temps un Bougeotteur faire explosion, ou se laisser dévorer par son automobile, un Fabricateur se changer en statue, en piano ou en porte-plume, un Explicateur en thermomètre ou en rat de bibliothèque. Mais la jeunesse, Monsieur, l'immortelle jeunesse, qui est née ici, qui a grandi ici, comment la faire périr ? On n'avait rien fait jusqu'à nos jours pour la jeunesse. Aussi, quand je suis arrivé, je me suis trouvé aux prises avec des légions d'adolescents dont le nombre toujours croissant ne trouvait plus de place dans nos hôpitaux. Ils menaçaient de tout casser, ils tapaient du pied, ils auraient pu défoncer le plancher, crever le plafond d'en dessous et tomber au rez-de-chaussée où ils auraient contaminé tout le monde.

« J'ai dû prendre des mesures d'urgence. J'ai convoqué un comité de Compositeurs de Discours Inutiles et j'ai pu leur persuader d'écrire un certain nombre d'ouvrages de propagande destinés à montrer à la jeunesse les voies les plus rapides vers la destruction.

« Les uns recommandèrent le suicide brutal, par la corde, le revolver, la noyade ou autres procédés ; ils eurent quelque succès parmi de jeunes intellectuels prédisposés, mais cela ne suffisait pas.

« D'autres préconisèrent le suicide lent par

les poisons ; qui en vers, qui en prose, ils chan-
tèrent, souvent avec un grand talent, la momi-
fication béate par l'opium, la transmutation
théâtrale et tourbillonnante de tout par le
haschich, le vertige fourmillant et respiratoire de la cocaïne, l'ahurissement métaphysi-
que de l'éther et les effets désintégrants de
quelques autres substances. Ce fut une réus-
site, et qui dure encore. L'industrie et le commerce de ces drogues prospèrent toujours, et
les ouvrages poétiques qui les encouragent se
vendent comme des petits pains.

« D'autres littérateurs composèrent des traités, prétendument traduits de langues orien-
tales, où était expliqué l'art de devenir
rapidement neurasthénique, névropathe, ca-
chexique, déminéralisé, phtisique et finale-
ment cadavre par la pratique de régimes
alimentaires et d'exercices respiratoires appro-
priés. Mais tout cela n'était efficace qu'auprès
de la jeunesse dite intellectuelle ou artistique,
et les autres grouillaient toujours.

« C'est alors que j'ai fait appel à quelques
chefs de Bougeotteurs qui, sur mes indica-
tions, se sont mis à organiser la destruction
des jeunes. La méthode est très simple : on
prend les enfants au moment où leur intel-
ligence n'est pas encore développée, où leurs
passions obéissent encore au moindre stimu-
lant ; on les fait vivre en troupes, vêtus et

armés d'une façon uniforme et, grâce à des discours magiques et des exercices physiques collectifs dont nous avons le secret, nous leur donnons ce que nous appelons le « culte de l'idéal commun » : c'est une dévotion absolue à un personnage gueulard et autocratique, ou à certain habillement, ou à quelque mot d'ordre, ou à certaine combinaison de couleurs, peu importe. Il nous suffit alors d'avoir ici deux groupes opposés (ou plus de deux, mais de préférence un nombre pair) de jeunes gens entretenus dans cette tension sentimentale ; la seule précaution à prendre est de ne pas laisser le temps à leur cerveau de fonctionner, mais c'est facile. Alors (vous m'avez compris ?) quand ils sont bien à point, on les lâche les uns sur les autres... et après cela on peut respirer un moment. Du même coup, cela occupe et enrichit les fabricants et les marchands d'uniformes et d'armes et les auteurs d'exhortations à la tuerie, dont l'un écrivait récemment : « Un jeune homme qui n'est pas tué à la fleur de l'âge, ce n'est plus un jeune homme, c'est un futur vieillard. »

40

J'étais fort surpris d'avoir pu tenir tout ce temps sans boire. Mais cela ne pouvait durer longtemps et je me dis même :

— Les dieux, comme l'autre les appelle, zut, je n'irai pas les voir. Ça doit être le même tabac. J'aime mieux m'en retourner tout de suite.

Je me mis donc à redescendre les marches de la cathédrale, que j'avais commencé à gravir. Je me trouvai nez à nez avec mon ami l'infirmier, qui était ponctuel à notre rendez-vous.

— Vous ne pouvez pas retourner par où vous êtes venu. Ce serait beaucoup trop long. Par là, ça ira vite. Et puis songez à vos futurs auditeurs. Ils seraient trop déçus.

C'est de vous qu'il parlait et ce deuxième argument était aussi fort que le premier. Mais j'ai bien peur que vous ne soyez déçu quand même. Pour moi, je l'ai été.

La cathédrale était ornée à l'extérieur d'une quantité de statues en papier mâché qui, paraît-il, étaient celles des anciens dieux. Car les dieux en chair ne viennent là que sur leurs vieux jours ; puis, lorsque leurs corps cessent de fonctionner (prenant alors le nom bizarre de « dépouilles mortelles »), on s'en débarrasse après avoir modelé les effigies que j'étais en train de regarder. Ils n'en continuent pas moins à exercer leurs pouvoirs, par l'entremise des dieux de chair, qui passent pour les interprètes des dieux de papier mâché. Tout le système est d'ailleurs assez compliqué. Chaque catégorie d'Evadés délègue un représentant pour siéger parmi les dieux ou, comme ils disent, parmi les Archis. Il y a donc un Archibougeur, un Archijoueur, un Archipeintre, un Archipwatt, un Archiscient, un Archisophe, et ainsi de suite. Ils légifèrent chacun en sa matière.

Une espèce de suisse nous ouvrit la porte, nous passâmes par un tambour capitonné et nous fûmes dans la nef. Beaucoup de fidèles et de serviteurs s'affairaient autour des dieux, qui étaient une douzaine, au milieu du chœur, assis sur des fauteuils autour d'un trou d'où montaient des vapeurs, comme dans la description de Lucien. Deux portaient des habits galonnés et l'épée au côté ; l'un, me fut-il expliqué, codifiait les massacres collectifs et l'autre la grammaire. Les autres étaient simplement en jaquettes, sauf l'Archipape qui portait un manteau de lama rouge orné d'un sceau de Salomon brodé dans le dos, une mitre décorée d'un croissant, des sandales japo-

naises à deux étages, à la ceinture un cou-
teau d'aruspice et un crucifix, et divers acces-
soires hétéroclites. Tous étaient vieux, du
moins d'apparence. « Mais, me disait l'infirmier, nous estimons scientifiquement l'âge
organique d'un être humain par le rapport
entre ce qu'il donne et ce qu'il reçoit. À ce
compte, ceux-ci sont de petits enfants, comme
vous pouvez voir. »

41

Les Archis, penchés sur la trappe, recueil-
laient avec avidité les fumées et les louanges
qui en montaient et buvaient des yeux les
gestes d'adoration que faisaient vers eux les
gens d'en bas. Ils semblaient ne se nourrir
de rien d'autre et s'engraisser d'entendre citer
leurs noms.

Une grande émotion me fit faiblir quand,
m'étant approché de l'ouverture, j'entendis,
très lointaine, la voix de Totochabo qui, en
bas, continuait à discourir. C'était peut-être
aussi l'odeur vineuse et les vapeurs d'alcool
qui montaient de là et qui, je devais bien
me l'avouer avec angoisse, m'étaient assez
écœurantes. Au milieu d'un bourdonnement

d'oreilles j'entendais donc, un peu nasillarde, la voix (mais je commençais à douter si c'était bien la sienne) qui disait :

— Le mot « taglufon » que j'invente à l'instant pour désigner précisément un mot arbitrairement forgé, ou l'épithète « inqualifiable », ou la proposition « je mens » ou même le mot « mot » sont, comme les appelle notre grand Archilinguiste, des expressions ourobores, c'est-à-dire qui se mordent la queue, à l'instar du fameux serpent.

S'entendant nommer, l'Archilinguiste tressaillit, s'épanouit et enfla considérablement. En pareil cas, la coutume demandait, sans l'y obliger tout à fait, qu'il donnât quelque chose en remerciement de ce festin de gloire. Il écrivit un court billet et comme il le tenait un moment au-dessus du trou avant de le lâcher, je pus, en rampant sous son fauteuil, déchiffrer le message :

« Nous décrétons obligatoire dès ce jour dans toutes les écoles l'emploi intensif d'expressions ourobores.

Signé : l'Archilinguiste. »

Le dieu du langage respira encore deux ou trois fois les fumées d'un punch qu'on préparait en bas en son honneur et tapa familièrement sur l'épaule de l'Archiscient.

— Eh bien, mon cher collègue, lui dit-il, voici l'ouroborisme à la mode. Qu'en faites-vous dans votre partie ?

— Nous le pratiquons déjà, dit l'autre. Ainsi expliquons-nous que si la vache n'est pas carnivore, c'est parce qu'autrement elle ne serait plus une vache ; que la Terre tourne autour du Soleil parce que celui-ci occupe un des foyers de l'ellipse décrite par notre globe ; que l'homme recherche le bonheur parce qu'il est doué d'un eudémonotropisme positif ; que la glace flotte sur l'eau en raison de sa densité moindre et que deux et deux font toujours quatre parce qu'autrement ce serait absurde. Tout récemment, un de nos Scients a mis en faveur le « concept opérationnel », qui est, dit-il, un concept identique à l'opération que l'on doit faire pour le former : comme le concept d'une mesure est identique à l'opération de mesurer. On n'est pas plus ouroboristes que nous, vous voyez.

— Et nous ne restons pas en arrière, dit l'Archipwatt. Un de mes protégés ayant, quelques années passées, posé à ses confrères la question : « pourquoi écrivez-vous ? », presque tous ont répondu en substance : « pour nous exprimer » ou « parce que nous ne pouvons pas faire autrement ». Certain répondit même : « par faiblesse », qui par ailleurs agençait magnifiquement des paroles dont, disait-il à peu près, l'étincelante queue était remordue par un serpent que lui-même venait de mordre. Un seul osa dire cyniquement qu'il écrivait « pour donner rendez-vous », mais on ne venait guère à ses rendez-vous et d'ailleurs nous l'avons fait excommunier.

Un contentement général se répandit parmi les dieux. Chacun s'efforçait de se montrer plus ouroboriste que l'autre.

L'Archicrate, prié à son tour de manifester son ouroborisme, mit ses mains en portevoix et, par la trappe, cria à ses fidèles :

— Pratiquez les sports militaires. Car le sportif d'aujourd'hui est le soldat de demain. Le soldat de demain repoussera l'envahisseur et ouvrira du même coup de nouveaux débouchés aux industries de son pays. Les industries prospéreront, le pays deviendra riche et pourra donc entretenir des sociétés de préparation militaire, d'où sortiront les soldats d'après-demain, qui repousseront l'envahisseur et ouvriront du même coup de nouveaux débouchés...

On fit apporter la machine à répétition. Je me rappelais sombrement toute ma vie jusqu'à ce jour et j'entendais tourner dans ma mémoire cent souvenirs de serpents ourobores. Je me souvenais des beuveries qui nous donnaient soif et de la soif qui nous faisait boire ; de Sidonius qui racontait son rêve sans

fin ; des gens qui travaillaient pour se nourrir et qui mangeaient pour avoir la force de
travailler ; des idées noires que je noyais si
tristement dans la futaille et qui renaissaient
sous d'autres couleurs. Entre les cercles
vicieux de la beuverie et ceux des paradis
artificiels, je ne pourrais plus jamais choisir,
je ne pourrais plus m'engrener, je n'étais plus
qu'une désolation.

42

— Pour moi, prononça lentement l'Archipape, ma loi est simple, vous la connaissez
et je n'en démords pas : faire sans savoir et
savoir sans faire. S'ils commençaient, en bas,
à comprendre ce qu'ils font et à faire ce qu'ils
comprennent, ils deviendraient comme cette
femme qui portait une torche et un seau d'eau
et qui, interrogée par un saint homme, expliqua que le feu était pour incendier le Paradis
et l'eau pour éteindre l'Enfer, afin que les
humains fissent désormais ce qu'ils auraient
à faire, non plus par espoir ou crainte d'un
sort futur, mais pour le seul amour de Dieu.
Nous serions alors tous rôtis... ou noyés, je
ne sais pas trop, ajouta-t-il malicieusement.

Tous les dieux s'esclaffèrent, se mirent debout et dansèrent en rond autour de la trappe. Je fus heurté, jeté à terre, traîné et poussé par les pieds de la farandole et tout cela était si ennuyeux, si peu consistant, et j'étais si décroché de tout, que je n'essayais ni de me relever ni de me cramponner, et me voici juste au bord de la trappe, en équilibre, comme une feuille morte qui attend le prochain coup de vent, sans se soucier d'où il viendra, et le coup de pied suivant me fit basculer.

Comme je tombais, je pus encore entendre ces dernières paroles que l'infirmier me criait :

— Juste le temps d'y penser, je vous disais !

TROISIÈME PARTIE

La lumière ordinaire du jour

1

Reçu par une paillasse, je n'avais rien de cassé. J'étais seulement étourdi de constater que j'étais tombé d'à peine une hauteur d'homme ; la trappe n'était pas à deux mètres du sol. J'avais espéré, confusément, quelque chose comme la chute de l'ange à travers quatorze abîmes, quelque chose de glorieux et de catastrophique, et c'était juste une petite secousse comme dans un autobus qui s'arrête trop brusquement. Je m'attendais ensuite à être accueilli par des explosions de rires. Mais c'était le silence. La salle était vide et je me rendais compte maintenant qu'elle n'était pas plus grande que celle d'une auberge de campagne. Quelques chandelles brûlaient encore au milieu de leurs larmes figées. A terre, des bouteilles cassées, des pots, des cruches, deux ou trois tonnelets vides, des mégots, des boîtes de conserves, des verres et des tasses, pêle-mêle, me prouvaient que la beuverie n'avait pas été un simple rêve.

Mais où étaient les buveurs ? Beaucoup, sans doute, avaient tenté de s'évader et ils devaient être là-haut d'où je venais, en train de bougeotter, de fabriquer ou d'expliquer. Certains n'avaient peut-être été que des projections de mon esprit, surtout ces deux ou trois camarades auxquels je songeais maintenant avec tristesse ; je les avais sans doute imaginés pour masquer ma solitude, tandis qu'ils étaient enfermés comme moi, chacun dans sa maison perdue en quel point du globe (si c'était un point, si c'était un globe) ? Et le vieux qui parlait toujours de la puissance des mots ? Celui-là, ce devait être un fantôme, sorti de mon cerveau avec tous mes tics intellectuels et qui, à force de me renvoyer à la tête mes propres sophismes, avait fini par me faire taire pour un moment. « Tais-toi, je te dis ! » avait-il crié, et j'entendais encore ces mots qui se prononçaient dans ma tête, et je les entends encore de temps en temps, à certaines minutes où je me laisse aller à d'agréables bavardages.

2

Je me levai donc et cherchai d'abord quelque chose à boire. En rassemblant des fonds de bouteilles, j'obtins un verre d'une boisson assez écœurante, mais qui me rafraîchit un peu.

Je fis le tour de la pièce. Il n'y avait pas de porte donnant sur l'extérieur. J'étais enfermé comme une abeille dans un coffre-fort. Par la fenêtre, je ne voyais que d'épais barreaux de fer et le reflet dans les vitres de ma propre silhouette. Un petit escalier raide menait à une soupente où je ne trouvai qu'un vieux lit de fer et quelques malles de bouquins ; c'est tout ce qui restait des paradis artificiels, c'était toute la réalité matérielle de cette fantasmagorie. Là aussi, la lucarne était solidement grillagée. Dehors, il faisait nuit noire.

Je redescendis et alors mon premier souci fut pour le feu qui s'assombrissait dans la cheminée. Les coffres à bois étaient vides. Je cassai avec beaucoup de peine la plus vieille chaise. La paille du siège, au contact des tisons, s'enflamma facilement. Pour les barreaux et le dossier, il me fallut souffler à m'en vider la tête. Le pauvre feu était à bout de forces ; il voulait se laisser mourir de faim, ou peut-être faisait-il des manières. Enfin le voici qui commence à lécher un morceau de vieux chêne, à faire crever de petits cratères bruns dans le vernis, à noircir le bois qui se couvre peu à peu d'un fourmillement de points ardents, et tout à coup il aboie, crache une langue rouge et attrape le barreau à pleines dents. Après cela, il était violent et insatiable. Je devais lui mesurer les bouchées, car le combustible n'était pas inépuisable et, je ne sais d'où me venait cette certitude, il fallait que le feu tînt jusqu'au lever du soleil.

3

Les trois chaises, tour à tour, allèrent au feu. Puis un fauteuil, puis les douves des fûts vides, puis la paillasse.

Après chacun de ces sacrifices, j'allais appliquer mon nez sur la vitre d'une fenêtre. Au-dehors, ce n'était que le noir innommable. Et moi qui m'étais cru poète, je ne savais pas trouver les mots pour appeler le soleil. Je lui disais :

— Soleil ! sors de ton trou, casse le couvercle, frappe les brouillards, mange la nuit, dissous le noir, montre-toi, montre-nous le monde, montre-nous au monde, parle, Soleil, sors de ton trou, parle, montre que tu es, montre qui tu es !

C'était trop maladroit. Je jetais du bois au feu et j'essayais un autre ton :

— Sors donc de là, si tu peux ! Montre-toi,

si tu. l'oses ! Mais tu as bien trop peur de l'ombre, tu crèves de peur dans ton trou, petit trou toi-même dans le ciel noir, pauvre vieux soleil, petite absence ronde !

Je n'avais pas plus de succès. Après avoir donné au feu quelques planches d'une vieille armoire, je reprenais :

— Viens, Soleil, la table est servie pour toi. Tous les arbres, toutes les herbes, toutes les bêtes et tous les hommes, toutes les mers et tous les fleuves attendent que tu viennes les saisir de tes bras brûlants, les élever jusqu'à ta gueule dévorante, bouche du ciel ; viens boire et manger, la table est servie de l'Est à l'Ouest.

C'était aussi peu efficace. Bientôt, il n'y eut plus rien à brûler dans la salle. J'allai chercher la literie qui était dans la soupente et la donnai peu à peu aux flammes.

— Soleil, toi le plus vieux, toi le plus jeune, toi le plus sage et le plus fou, toi qui n'es jamais diminué, jamais partagé, toujours seul et pourtant contenu tout entier dans chaque œil vivant, toi le plus grand, qui peux emplir l'espace, toi le plus petit, qui passes par le trou d'une aiguille, toi le plus libre, que rien n'atteint, mais aussi le plus enchaîné à la loi, toi qui ne peux pas ne pas te lever tout à l'heure !

C'était plus habile, me semblait-il, mais

c'était aussi vain. Il me fallut bientôt commencer à brûler les livres. On n'a pas idée comme c'est difficile. Les livres brûlent très mal, très lentement, en donnant plus de cendres que de flamme. Il faut les feuilleter, pour la dernière fois, du bout du tisonnier, page par page au sein du feu ; sans quoi ils charbonneraient en surface, s'éteindraient et étoufferaient les flammes. Et ils font une masse de cendres stratifiées qu'il faut pulvériser, sans pitié pour les écrits que l'on aimait, lorsqu'ils repassent sous vos yeux, imprimés en blanc sur les feuilles noires et fragiles qui se soulèvent et puis se ratatinent avec des bruissements secs.

4

Tant qu'on brûle des livres, on ne peut guère parler. Et après les livres, il fallait tout de suite autre chose. Je grimpe dans la soupente, fouille tous les coins ; rien à brûler. Je redescends, je cherche encore, mais je ne trouve rien. Mes yeux font encore un tour désespéré d'horizon, ne rencontrent que pierre et fer ; je ne pouvais quand même pas mettre le feu à la maison. Et comme mes yeux retombaient découragés, ils rencontrèrent tout contre moi ce que je cherchais loin de moi, l'étoffe de mes vêtements qui pouvait brûler.

Avec le linge, c'était assez facile. Mais brûler un veston, c'est aussi malaisé que de brûler un dictionnaire. Pour un petit point incandescent, vous avez tout de suite un bourgeonnement de scories, comme des têtes de nègres lépreux qui se dressent, avec une fumée épaisse et âcre où flottent de petits aérostats de suie. Heureusement que mes habits n'étaient pas de pure laine et que la cheminée, maintenant, tirait bien.

Tout en faisant brûler mon pantalon, fil par fil, en fouillant sans cesse du tisonnier pour mettre à portée des flammes rechignantes les parties intactes du tissu, je voyais pâlir étrangement le feu. Un petit vent frais passait sur mes épaules nues. Une lueur laiteuse faisait fondre les ombres tout autour de moi. Je rassemblai les braises encore incandescentes et les couvris de cendres pour que le feu durât encore. Je m'approchai de la fenêtre et je vis au fond de l'air bleu des amas foisonnants de nuages roses et soudain au ras de l'horizon un point d'or, un petit dôme ardent qui s'élevait et devenait un grand cri éblouissant.

5

Puisque j'ai dépassé depuis longtemps les limites du vraisemblable, vais-je me tirer d'affaire en réveillant mon héros et en lui faisant dire : ce n'était qu'un rêve ? C'est une vieille ficelle que je ne dédaignerai pas d'employer encore. Mais le narrateur qui en use ne met d'ordinaire pas en doute cette convention que le rêve est mensonger et la veille vraie. Admettant même que cette proposition soit acceptable dans la vie courante, sous la réserve que rêve et veille sont relatifs l'un à l'autre, dans le monde du récit elle devient suspecte, puisque là les états en question sont eux-mêmes des artifices narratifs, donc des mensonges. Peut-être faut-il alors renverser les termes. Si oui, vous qui m'écoutez et moi qui vous parle nous jouerions donc une comédie de rêve dans la demi-somnolence où nous a plongés mon récit. Et si tout à coup nous allions nous réveiller ? Vous, je ne sais pas où ni comment vous vous retrouveriez. Pour moi, toute cette histoire de la grande beuverie et des paradis artificiels s'évanouirait dans les profondeurs du sommeil et je me réveillerais tout nu, prisonnier dans cette maison sans porte qui, juste au moment où le soleil se levait, se mettait à frémir comme un steamer qui part, à rouler et à tanguer et à m'envoyer dans tous les coins, bien réveillé cette fois, affreusement réveillé.

6

La lumière du jour et le grand tremblement qui secouait l'édifice changeaient tout le décor. Les murs et les planchers se ramollissaient comme de la cire dans une fournaise, se plissaient, se creusaient en rigoles qui se refermaient en tuyaux mous d'où suintaient des liquides visqueux et tièdes. Je glissais et culbutais entre des masses humides qui se rétractaient comme de douleur à mon contact, une chaleur étouffante montait autour de moi, je tombais dans des trous d'eau saumâtre, je m'accrochais à des tiges flexibles que je sentais, sous mes mains, animées d'une pulsation étrangement familière.

Il arrive qu'aux moments de danger mortel l'émotion se trouve anesthésiée et l'appareil du langage paralysé. La pensée, libre des mots et de la peur, agit alors avec sa science et sa clarté propres, froidement, logiquement. C'est ce qui m'arrivait. Je reconnus vite que j'avais

dégringolé jusque dans les étages inférieurs
de la maison. Il y avait là de vastes chaudières sous pression, des moteurs, des systèmes compliqués de cordages et de leviers,
tout cela fait de matières souples et baignant
dans un lubrifiant tiède. Le combustible arrivait par un tuyau qui s'ouvrait à l'étage supé-
rieur et à l'entrée duquel un concasseur le
broyait et le malaxait. En bas, la bouillie
ainsi produite passait par des alambics qui
la purifiaient et en tiraient un liquide rouge.
A l'étage intermédiaire, une pompe aspirait
ce liquide et le refoulait vers les chaudières
où il brûlait. De chaque côté de la pompe,
deux grands soufflets de forge attisaient les
feux. L'air entrait dans les soufflets par deux
trous percés en haut, juste au-dessus du trou
à combustible.

Je parvins avec difficulté à la chambre supérieure. C'était une sorte de poste de manœuvre
et d'observation. On ne pouvait regarder vers
le dehors que par deux lentilles encastrées
dans le mur, qui formaient comme une paire
de jumelles. La chambre était encombrée de
leviers, de manettes, d'appareils indicateurs
et enregistreurs grâce auxquels il devait être
possible de diriger tous les mouvements de la
maison mobile.

Au premier essai que je fis de tourner un
bouton, ma demeure fut prise d'une agitation

désordonnée. Tout cognait contre tout. Je tirai
sur une ficelle, il y eut une violente secousse,
puis une chute brutale, un choc et tout bas-
cula. Je continuai patiemment mes tentatives,
tout à fait détaché de ce que je faisais. Peu à
peu, j'appris quels étaient les mécanismes dangereux à déclencher et ceux qu'il fallait constamment actionner pour que la maison ne
s'écroulât pas. Je vis bientôt que c'était un
travail quasi impossible et c'est alors qu'heureusement apparurent des serviteurs.

7

C'étaient de grands singes anthropomorphes
qui jusque-là étaient restés tapis, invisibles et
silencieux, dans tous les recoins. Ils m'observaient et l'un d'eux, dès qu'il m'eut vu faire
trois ou quatre fois la même manœuvre, vint
me faire signe que désormais il s'en chargerait.
Les autres, tour à tour, sortirent de leurs
ombres et, imitant merveilleusement mes gestes, prirent en main toutes les fonctions nécessaires au maintien et au bon ordre de l'édifice.
Délivré de ces tâches, je m'installai au poste
de commande, devant les jumelles et parmi
mes appareils d'observation. Un réseau télé-

phonique me mettait en communication avec mes singes. J'appris ainsi à les commander à peu près, ce qui ne me laissait guère de repos, car souvent l'un d'eux s'assoupissait, un autre voulait en faire à sa fantaisie et il fallait les rappeler à l'ordre.

Parfois aussi une secousse inattendue me faisait tomber de mon siège jusqu'à l'étage d'en dessous où ma chute mettait le désordre ; la pompe et les soufflets commençaient à fonctionner beaucoup trop vite — car, une fois le grand danger passé, les émotions anesthésiées se vengent — et j'avais toutes les peines du monde à remonter.

Dresser des singes à entretenir et à mouvoir la mécanique, c'est difficile. Dresser des singes à équilibrer les impulsions et les réactions de la machine, c'est encore plus difficile. Dresser des singes à diriger le véhicule, je ne vois pas quand j'oserai même espérer d'y parvenir. C'est pourtant alors seulement que je serais le maître, que j'irais où je voudrais, sans attaches, sans peur, sans illusions ; mais me voici encore à rêver.

8

Enfin ma maison s'était lentement soulevée de terre sur deux piliers articulés. Deux grands balanciers, attachés à l'étage intermédiaire, maintenaient l'équilibre. Au bout des balanciers, des pinces semblaient agencées pour des usages très variés.

Prudemment, j'essayai de mettre ma maison en marche. Puisque je ne pouvais en sortir, eh bien, je me déplacerais non seulement avec elle, comme l'escargot, mais grâce à elle, comme l'automobiliste. Un automobiliste, justement, me disait qu'à force de conduire il finissait par sentir sa voiture comme si elle avait été son propre corps ; il se sentait alourdi par un passager supplémentaire et il percevait la dureté des graviers que les pneus chassaient sous eux. La même chose m'arriva bientôt avec ma demeure ambulante. Maintenant, quand je dis « je », c'est souvent de la maison qu'il s'agit et non de moi. Peut-être même qu'en ce moment je ne dis rien et que c'est ma maison qui parle à vos maisons ; en ce cas, plaçons ici, encore une fois, le procédé littéraire du réveil et reprenons le langage illusoire qui nous est si commode.

J'achevai donc de me lever sur mes jambes, je m'étirai, dirigeai mes pas hésitants vers une armoire à glace et, par les trous de mes yeux, je regardai le reflet de mon véhicule. Toutes proportions gardées, c'était une assez bonne image de moi-même.

9

Je m'habillai et sortis dans la rue. Je marchai longtemps, laissant mes jambes me conduire. Que le monde était beau — l'humanité à part — ! Chaque chose à chaque instant accomplissait l'action nécessaire, sans discuter. L'unique unique sans s'altérer se niait indéfiniment en infinité d'unités qui reconfluaient en lui, la rivière allait mourir en mer, la mer en nue, la nue en pluie, la pluie en sève, la sève en blé, le blé en pain, le pain en homme — mais ici, cela n'allait plus tout seul, et l'homme regardait tout cela de l'air ahuri et mécontent qui le distingue entre tous les animaux de la planète. Du haut en bas et du bas en haut, chaque chose — à part l'humanité — décrivait le cercle de sa transformation. Un tourbillonnement de plus en plus compact descendait jusqu'à la Terre, où le

lourd protoplasme aux molécules trop grosses, ne pouvant plus descendre, se retournait
et lentement remontait le courant, du bacille
au cèdre, de l'infusoire à l'éléphant. Et le mouvement de ce cercle aurait été parfait de toute
éternité, n'eût été l'humanité, rebelle à la
transformation, qui essayait péniblement de
vivre pour son compte dans la petite tumeur
cancéreuse qu'elle faisait sur l'univers.

10

Comme ces pensées se déroulaient en moi,
pour me confondre et me confirmer du même
coup, je me trouvai nez à nez avec le vieux
lui-même. En fait, il n'était pas si vieux que
cela, et Totochabo n'était pas son vrai nom
(c'était un sobriquet chipéway), c'était un
homme ordinaire, seulement il en savait un
peu plus long que nous. Je vis qu'un ancien
mécanisme m'avait amené devant le café qu'il
fréquentait et où nous avions perdu tellement de temps jadis à philosopher.

Il me proposa de nous asseoir un moment
à la terrasse, commanda deux rince-cochons
et me dit :

— Vous n'avez pas l'air encore bien remis de votre beuverie.

— Quelle beuverie ? dis-je en sursautant.

Voyant que ma surprise était sincère, il me raconta comment, la veille, nous avions, à plusieurs camarades, fait un banquet très arrosé dans une guinguette de banlieue ; que vers la fin de la nuit j'étais tellement ivre qu'on m'avait couché sur une paillasse, dans une mansarde, et qu'on m'avait laissé là en pensant qu'après avoir cuvé mon vin je trouverais bien le chemin du retour. Ce récit éveillait quelques résonances dans ma mémoire, et je voulais bien y croire.

Alors, par questions méthodiques, il me fit raconter et mettre en ordre mes propres souvenirs de cette nuit-là ; ceux-là mêmes qui sont ci-dessus mis par écrit. Et je tentai de conclure :

— Et c'est ainsi que j'ai vu que nous étions moins que rien, et sans espoir. Après quoi ne convient-il pas d'aller se pendre ?

Il rit et dit :

— Mais quoi de plus réconfortant que de constater que nous sommes moins que rien ? C'est donc qu'en nous retournant nous serons quelque chose. N'est-ce pas un grand réconfort pour la chenille d'apprendre qu'elle n'est qu'une larve, que son état de tube digestif semi-rampant est temporaire, et qu'après sa

réclusion mortuaire dans la nymphe elle renaî-
tra papillon — et cela, non pas dans un paradis imaginaire inventé par une philosophie
chenillarde et consolatrice, mais ici même,
dans ce jardin où elle broute laborieusement
sa feuille de chou ? Or, nous sommes chenilles,
et notre malheur est que, contre nature, nous
nous cramponnons de toutes nos forces à cet
état, à nos appétits chenillards, nos passions
chenillardes, nos métaphysiques chenillardes,
nos sociétés chenillardes. Seule notre apparence
physique extérieure ressemble, pour un observateur atteint de myopie psychique, à celle
d'un adulte ; tout le reste est obstinément
larvaire. Eh bien, j'ai de fortes raisons de
croire (sans quoi, en effet, il n'y aurait qu'à
se suspendre) que l'homme peut atteindre l'état
adulte, que quelques-uns y sont parvenus, et
qu'ils n'ont pas gardé pour eux seuls les moyens
d'y parvenir. Quoi de plus réconfortant ?

11

— Arrêtez un moment, dis-je. Votre théorie
de l'homme-chenille est ingénieuse, mais
scientifiquement, permettez-moi de vous dire
qu'elle ne tient pas debout. L'état adulte a

pour caractéristique le pouvoir de reproduction. Or, l'homme se reproduit, et non seulement corporellement, mais aussi intellectuellement, ce que nous appelons enseigner. Donc un homme adulte est réellement un être adulte.

Je me flattais de connaître les défauts de sa cuirasse et je croyais bien, en lui envoyant ainsi, de la même volée, un argument scientifique, un syllogisme en forme et une citation de Platon, le réduire à *quia*. Mais je n'avais fait que lui préparer un triomphe facile, car il dit :

— Qu'un instituteur père de famille serait un homme adulte, faudrait-il conclure ? Vouin, vouin. Mais scientifiquement et autrement, vous faites erreur. On a vu des larves d'insectes pondre, même sans fécondation, des œufs viables. Mais je ne parlerai pas de ces faits accidentels. Outre l'homme, il existe un autre animal qui, dans les conditions naturelles, n'arrive jamais à l'état adulte et qui, pourtant, se reproduit régulièrement. Il s'est accommodé de son état embryonnaire et n'a pas plus que l'homme le désir d'en sortir. C'est la larve d'une espèce de salamandre que l'on trouve dans des mares et des étangs du Mexique et que nous nommons, d'après un mot du pays, axolotl. On n'était pas trop sûr de la place à lui attribuer dans les compartiments zoologiques jusqu'au jour où, ayant injecté

à des axolotls des extraits de glande thyroïde,
on les vit se transformer en un nouvel animal,
qui, sans l'intervention de la curiosité touche-
à-tout de l'homme, dite science naturelle, n'aurait peut-être nulle part existé dans notre ère
quaternaire à l'état adulte.

« La différence entre l'axolotl et l'homme,
c'est que, chez ce dernier, une intervention
extérieure ne suffirait pas, toute nécessaire
qu'elle dût être, pour déclencher sa métamor-
phose. Il faudrait encore, et essentiellement,
qu'il renonçât à son enchenillement et vou-
lût lui-même sa maturation. Nous passerions
alors par une transformation bien plus profonde que celle de l'axolotl ; seul le change-
ment de la figure corporelle serait moins sensible, aux yeux du moins de notre observateur
atteint de myopie psychique, tandis que les
formes de nos sociétés en seraient complètement refondues.

« Quant à l'enseignement, s'il n'est pas
capable de provoquer ni de guider cette transformation, il reste une instruction de larve
à larve. Il est fort possible, d'ailleurs, que les
vieilles larves axolotls apprennent aux larves nouveau-nées à nager et à chercher leur
nourriture.

« Autre remarque : si, comme vous avez dit
justement, nous voyons ou plutôt imaginons

tout à l'envers, peut-être conviendrait-il alors
d'aller se pendre, mais, alors, par les pieds ? »

12

Comme il disait ces dernières paroles, d'autres habitués du café étaient arrivés, chacun
portant son visage comme un panneau-réclame
à langue épaisse, et Johannes Kakur, qui avait
pourtant conservé toute son agressivité, atta-
qua Totochabo :

— Vous prétendez que nous marfons fur
la tête et voyons tout à l'envers ? De quel
droit ? Quel est votre critérium de l'endroit
et de l'envers ? Répondez-nous, mais fette fois,
fur un egvemple concret, et pas vavec des
comparaivons vet des vanalovies vagues !

Le vieux (conservons-lui ce grade) appela le
garçon et se fit apporter un journal du matin.
Il lut à haute voix ce titre :

DRAME DE LA JALOUSIE.   « JE L'AIMAIS TROP »,
DÉCLARE LE MEURTRIER, « ALORS JE L'AI TUÉE »

puis cet autre :

AYANT TUÉ SON AMANT À COUPS DE MARTEAU,
ELLE SE JETTE DANS UN PUITS AVEC SES DEUX
ENFANTS

— Cela suffira, dit-il, pour l'exemple que
j'ai choisi. La cause de ces destructions mutuel-
les, stupides et inutiles, nous l'appelons
« amour ». Et à l'opposé, lorsque nous vou-
lons exprimer le contraire de l'amour, que nous
nommons haine, nous ne trouvons rien de plus
fort ni de plus intelligent comme symbole que
« l'eau et le feu » ; c'est pour nous l'image de
deux ennemis irréductibles. Pourtant, l'un
n'existe que par l'autre. Sans le feu, l'eau du
monde serait un bloc inerte de glace, roche
parmi les roches ; privée de tous les attributs
du liquide, elle ne ferait jamais ni mer, ni
pluie, ni rosée, ni sang. Sans l'eau, le feu
serait mort de toute éternité, ayant de toute
éternité tout consumé et calciné ; il ne pourrait faire ni flamme, ni astre, ni éclair, ni vue.
Mais nous voyons tantôt l'eau éteindre le feu,
tantôt le feu vaporiser l'eau ; et jamais nous
n'avons la perception d'ensemble du parfait
équilibre qui les fait exister l'un par l'autre.
Quand nous voyons une plante pousser ou un
nuage s'élever de la montagne, quand nous cui-
sons nos aliments ou nous faisons véhiculer par
des machines à vapeur, nous ne savons pas que
nous contemplons ni que nous utilisons les

fruits de leur amour infiniment fécond. Nous continuons à dire « ennemis comme l'eau et le feu » et à appeler « amour » les suicides à deux et les meurtres passionnels.

« C'est pourquoi, et à cause de cent exemples du même genre, je maintiens que nous nous figurons tout à l'envers. Et constater cela me fait espérer ; mais ici encore cette espérance vous semblera désespoir ; cette confiance que j'ai dans la puissance de l'homme vous semblera misanthropie et pessimisme. Tiens ! en disant ces mots, j'entends qu'ils résonnent maintenant dans ma tête comme des coquilles vides. Et, vous savez, je ne suis pas de ceux qui font resservir les coquilles d'escargots en les remplissant de colimaçons factices taillés dans du foie de veau. Je dois conclure là-dessus le grand discours que je vous avais promis sur la puissance des mots, car j'ai plusieurs choses urgentes à faire. »

Nous nous levâmes tous, car il y avait pour chacun de nous plusieurs choses urgentes à faire. Il y avait beaucoup de choses à faire pour vivre.

INDEX ALPHABÉTIQUE

(Les chiffres romains indiquent les parties — Iʳᵉ, IIᵉ et IIIᵉ — et les chiffres arabes les divisions de chaque partie.)

DU MÊME AUTEUR

Aux Éditions Gallimard

LA GRANDE BEUVERIE (1938 ; édition définitive en 1986).
LE MONT ANALOGUE (1952, édition définitive en 1981).
CHAQUE FOIS QUE L'AUBE PARAÎT. *Essais et notes*, I
  (1953).
POÉSIE NOIRE, POÉSIE BLANCHE. *Poèmes 1924-1944*
  (1954).
LETTRES À SES AMIS : *1916-1932* (1958).
BHARATA : *L'Origine du théâtre – La Poésie et la musique en Inde*
  (1970).
LE CONTRE-CIEL, suivi de LES DERNIÈRES PAROLES
  DU POÈTE (1970 ; édition définitive en 1990).
L'ÉVIDENCE ABSURDE. *Essais et notes, I : 1926-1934* (1972).
LES POUVOIRS DE LA PAROLE. *Essais et notes, II : 1935-1943*
  (1972).
CORRESPONDANCE, I : *1915-1928* (1992).
CORRESPONDANCE, II : *1929-1932* (1993).
CORRESPONDANCE, III : *1933-1944* (1996).

Aux Éditions du Mercure de France

TU T'ES TOUJOURS TROMPÉ (1970).

Aux Éditions Fata Morgana

MUGLE (1978).

À L'Originel

RENÉ DAUMAL OU LE RETOUR À SOI. *Textes inédits et
études* (1981).

Ganesha

LA LANGUE SANSKRITE. *Grammaire - poésie - théâtre* (1985).

Aux Éditions Éoliennes

FRAGMENTS INÉDITS : *1932-1933* (1996).

Aux Éditions Le Nyctalope

JE NE PARLE JAMAIS POUR NE RIEN DIRE (1994).

*Ouvrage reproduit
par procédé photomécanique.
Impression Bussière Camedan Imprimeries
à Saint-Amand (Cher), le 8 septembre 1998.
Dépôt légal : septembre 1998.
Premier dépôt légal : février 1986.
Numéro d'imprimeur : 984187/1.*
ISBN 2-07-070586-2./Imprimé en France.

88257